6 학년이 ✓꼭 알아야 한 수학 서술형

수학 학력 평가의 새로운 기준!

현직 교수, 박사급 출제위원!

빅데이터 평가분석!

1:1 KMA 평가 전문 상담!

KMA 한국수학학력평가

평가 일시 : 매년 상반기 6월, 하반기 11월 실시

참가 대상	초등 1학년 ~ 중등 3학년 (상급학년 응시가능)
신청 방법	1) KMA 홈페이지에서 온라인 접수 2) 해당지역 KMA 학원 접수처 3) 기타 문의 ☎ 070-4861-4832
홈페이지	www.kma-e.com

※ 상세한 내용은 홈페이지에서 확인해 주세요.

주 최 | 한국수학학력평가 연구원   주 관 | ㈜에듀왕

KMA 대비서

서술형

꼭알 아야 할 수학

특징

1 3~6학년까지 1·2학기로 구성되어 있습니다.

2 다양한 서술형 문제를 제시된 풀이 과정에 따라 학습하고 익히면서 자연스럽게 문제 해결이 가능하도록 하였습니다.

3 학교 교과 과정을 기준으로 하여 학기 중에 학교 진도에 맞추어 학습이 가능하도록 하였습니다.

구성

서술형 탐구 대표적인 서술형 유형을 선택하여 서술 길라잡이와 함께 제시된 풀이 과정을 통해 문제 해결 방법을 익히도록 구성하였습니다.

서술형 완성하기 서술형 탐구와 유사한 문제를 빈칸을 채우며 풀이 과정을 익히는 학습을 통해 같은 유형의 서술형 문제를 익히도록 구성하였습니다.

서술형 정복하기 서술형 완성하기에서 배운 풀이 전개 방법을 완벽하게 반복 연습하여 서술형 문제에 대한 자신감을 갖도록 구성하였습니다.

실전! 서술형 단원을 마무리 하면서 익힌 내용을 다시 한 번 정리해보고 확인하여 자신의 실력으로 만들 수 있도록 구성하였습니다.

CONTENTS

① 분수의 나눗셈

$\dfrac{8}{11} \div \dfrac{2}{11}$ 를 계산하려고 합니다. 풀이 과정을 쓰고 답을 구하시오. (5점)

서술 길라잡이 분모가 같은 진분수끼리의 나눗셈은 분자들의 나눗셈으로 계산할 수 있습니다.

$\dfrac{8}{11}$ 은 $\dfrac{1}{11}$ 이 8개이고, $\dfrac{2}{11}$ 는 $\dfrac{1}{11}$ 이 2개입니다.

$\dfrac{8}{11} \div \dfrac{2}{11}$ 는 8÷2로 바꾸어 계산해도 되므로 $\dfrac{8}{11} \div \dfrac{2}{11} = 8 \div 2 = 4$입니다.

답 _____4_____

평가 기준	나눗셈식을 계산하는 과정을 바르게 쓴 경우	3점	합 5점
	나눗셈식의 답을 바르게 구한 경우	2점	

서술형 완성하기

빈칸을 채우며 서술형 풀이를 완성하고 답을 구하시오.

1 $\dfrac{3}{4} \div \dfrac{2}{5}$ 를 2가지 방법으로 계산하려고 합니다. 풀이 과정을 쓰고 답을 구하시오.

[방법 1] $\dfrac{3}{4} \div \dfrac{2}{5} = \dfrac{15}{20} \div \dfrac{8}{20} = 15 \div 8 = \dfrac{\boxed{}}{8} = \boxed{}$

[방법 2] $\dfrac{3}{4} \div \dfrac{2}{5} = \dfrac{3}{4} \times \dfrac{5}{2} = \dfrac{\boxed{}}{8} = \boxed{}$

답 _____

2 $2\dfrac{4}{5} \div 1\dfrac{1}{10}$ 을 3가지 방법으로 계산하려고 합니다. 풀이 과정을 쓰고 답을 구하시오.

[방법 1] $2\dfrac{4}{5} \div 1\dfrac{1}{10} = \dfrac{14}{5} \div \dfrac{11}{10} = \dfrac{28}{10} \div \dfrac{11}{10} = \dfrac{\boxed{}}{11} = \boxed{}$

[방법 2] $2\dfrac{4}{5} \div 1\dfrac{1}{10} = \dfrac{14}{5} \div \dfrac{11}{10} = \dfrac{14}{5} \times \dfrac{10}{11} = \dfrac{\overset{28}{140}}{\underset{11}{55}} = \dfrac{\boxed{}}{11} = \boxed{}$

[방법 3] $2\dfrac{4}{5} \div 1\dfrac{1}{10} = \dfrac{14}{5} \div \dfrac{11}{10} = \dfrac{14}{\underset{1}{5}} \times \dfrac{\overset{2}{10}}{11} = \dfrac{\boxed{}}{11} = \boxed{}$

답 _____

1 $\dfrac{12}{19} \div \dfrac{5}{19}$ 를 계산하려고 합니다. 풀이 과정을 쓰고 답을 구하시오. (5점)

 답 _____

2 $\dfrac{9}{10} \div \dfrac{7}{8}$ 을 2가지 방법으로 계산하려고 합니다. 풀이 과정을 쓰고 답을 구하시오.

(6점)

[방법 1]

[방법 2]

 답 _____

3 $7\dfrac{1}{12} \div 6\dfrac{1}{9}$ 을 계산하는 여러 가지 방법 중 2가지를 선택하여 풀이 과정을 쓰고

답을 구하시오. (6점)

[방법 1]

[방법 2]

 답 _____

선생님께서 가영이네 반 학생들에게 우유 8 L를 똑같이 나누어 주었더니 한 학생이 $\frac{1}{4}$ L씩 마시게 되었습니다. 가영이네 반 학생은 몇 명인지 풀이 과정을 쓰고 답을 구하시오. (5점)

| 서술 길라잡이 | (자연수)÷(단위분수)는 자연수에서 단위분수를 몇 번 뺄 수 있는지 계산하거나 ■÷$\frac{1}{\blacktriangle}$을 ■×▲로 바꾸어 계산합니다. |

✎ (가영이네 반 학생 수)=$8 \div \frac{1}{4} = 8 \times 4 = 32$(명)

따라서 가영이네 반 학생은 32명입니다.

답 _____32명_____

평가 기준	나눗셈식을 바르게 세운 경우	3점	합 5점
	나눗셈식의 답을 바르게 구한 경우	2점	

서술형 완성하기

빈칸을 채우며 서술형 풀이를 완성하고 답을 구하시오.

1 $\frac{8}{25}$ L의 참기름이 있습니다. 이것을 $\frac{2}{25}$ L씩 병에 나누어 담았습니다. 참기름을 담은 병은 몇 개인지 풀이 과정을 쓰고 답을 구하시오.

✎ (참기름을 담은 병의 수)

$= \frac{8}{25} \div \frac{2}{25} = 8 \div \boxed{} = \boxed{}$(개)

따라서 참기름을 담은 병은 $\boxed{}$개입니다.

답 _____

2 어머니께서 길이가 4 m인 털실을 $\frac{4}{5}$ m씩 자르려고 합니다. 털실은 몇 도막이 되는지 풀이 과정을 쓰고 답을 구하시오.

✎ (털실의 도막 수)

$= 4 \div \frac{4}{5} = (4 \div \boxed{}) \times \boxed{} = \boxed{}$(도막)

따라서 털실은 $\boxed{}$도막입니다.

답 _____

1 어떤 정육점에서는 불우 이웃 돕기 행사로 36 kg의 쇠고기를 $\frac{3}{4}$ kg씩 어려운 이웃들에게 나누어 주려고 합니다. 몇 명에게 쇠고기를 나누어 줄 수 있는지 풀이 과정을 쓰고 답을 구하시오. (5점)

답 _____

2 길이가 $11\frac{1}{4}$ km인 도로의 한쪽에 처음부터 끝까지 $\frac{5}{8}$ km 간격으로 가로등을 세우려고 합니다. 필요한 가로등은 몇 개인지 풀이 과정을 쓰고 답을 구하시오. (5점)

답 _____

3 어느 가게에서 보리쌀 $9\frac{1}{2}$ kg을 한 봉지에 $2\frac{3}{8}$ kg씩 담아 팔려고 합니다. 팔 수 있는 보리쌀은 몇 봉지인지 풀이 과정을 쓰고 답을 구하시오. (5점)

답 _____

서술형 탐구

$\frac{6}{7}$은 $\frac{2}{5}$의 몇 배인지 구하려고 합니다. 풀이 과정을 쓰고 답을 구하시오. (5점)

서술 길라잡이 ■가 ▲의 몇 배인지를 구한 값은 ■÷▲의 몫과 같습니다.

$$\frac{6}{7} \div \frac{2}{5} = \frac{6}{7} \times \frac{5}{\underset{1}{\overset{}{2}}} = \frac{15}{7} = 2\frac{1}{7}$$

따라서 $\frac{6}{7}$은 $\frac{2}{5}$의 $2\frac{1}{7}$배입니다.

답 _____ $2\frac{1}{7}$배

평가기준	몇 배인지 구하는 나눗셈식을 바르게 세운 경우	3점	합 5점
	나눗셈식의 답을 바르게 구한 경우	2점	

서술형 완성하기

빈칸을 채우며 서술형 풀이를 완성하고 답을 구하시오.

1 오른쪽 직사각형의 가로의 길이는 세로의 길이의 몇 배인지 풀이 과정을 쓰고 답을 구하시오.

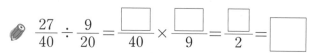

$$\frac{27}{40} \div \frac{9}{20} = \frac{\boxed{}}{40} \times \frac{\boxed{}}{9} = \frac{\boxed{}}{2} = \boxed{}$$

따라서 직사각형의 가로의 길이는 세로의 길이의 $\boxed{}$배입니다.

답 _____

2 밭에 감자를 $7\frac{1}{2}$ m²만큼 심었고 고구마를 $2\frac{5}{8}$ m²만큼 심었습니다. 감자를 심은 밭의 넓이는 고구마를 심은 밭의 넓이의 몇 배인지 풀이 과정을 쓰고 답을 구하시오.

$$7\frac{1}{2} \div 2\frac{5}{8} = \frac{\boxed{}}{2} \div \frac{\boxed{}}{8} = \frac{\boxed{}}{2} \times \frac{8}{\boxed{}} = \frac{\boxed{}}{7} = \boxed{}$$

따라서 감자를 심은 밭의 넓이는 고구마를 심은 밭의 넓이의 $\boxed{}$배입니다.

답 _____

1 전철역에서 미술관까지의 거리는 미술관에서 동물원까지의 거리의 몇 배인지 풀이 과정을 쓰고 답을 구하시오. (5점)

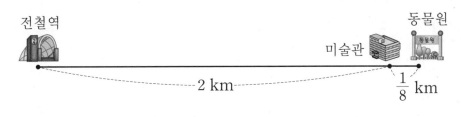

2 예슬이는 어머니를 도와 쿠키를 만들려고 밀가루 $1\frac{3}{5}$ kg과 설탕 $\frac{3}{4}$ kg을 준비했습니다. 쿠키를 만드는 데 필요한 밀가루의 양은 설탕의 양의 몇 배인지 풀이 과정을 쓰고 답을 구하시오. (5점)

3 동민이네 반 학생들은 양로원에 봉사 활동을 갔습니다. 할머니와 할아버지를 위해서 전체 학생 수의 $\frac{1}{2}$은 청소를 하고, $\frac{1}{5}$은 어깨를 주물러 드리고, $\frac{3}{10}$은 공연을 준비했습니다. 청소와 어깨를 주물러 드린 학생 수는 공연을 준비한 학생 수의 몇 배인지 풀이 과정을 쓰고 답을 구하시오. (6점)

오른쪽은 넓이가 $\frac{9}{10}$ m²인 직사각형입니다. 세로가 $\frac{3}{4}$ m라면 가로는 몇 m인지 풀이 과정을 쓰고 답을 구하시오. (5점)

$\frac{3}{4}$ m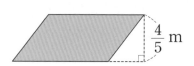

서술 길라잡이 구하려고 하는 직사각형의 가로를 ■ m라 하여 식을 세워 봅니다.

✎ 직사각형의 가로를 □ m라 하면 □ $\times \frac{3}{4} = \frac{9}{10}$ 입니다.

$$□ = \frac{9}{10} \div \frac{3}{4} = \frac{\overset{3}{\cancel{9}}}{\underset{5}{\cancel{10}}} \times \frac{\overset{2}{\cancel{4}}}{\underset{1}{\cancel{3}}} = \frac{6}{5} = 1\frac{1}{5}$$

따라서 직사각형의 가로는 $1\frac{1}{5}$ m입니다.

답 ___ $1\frac{1}{5}$ m

평가 기준	직사각형의 가로를 구하는 식을 바르게 세운 경우	3점	합 5점
	직사각형의 가로를 바르게 구한 경우	2점	

서술형 완성하기

빈칸을 채우며 서술형 풀이를 완성하고 답을 구하시오.

1 넓이가 $1\frac{1}{2}$ m²인 평행사변형의 높이가 $\frac{4}{5}$ m라면 밑변은 몇 m인지 풀이 과정을 쓰고 답을 구하시오.

$\frac{4}{5}$ m

✎ 평행사변형의 밑변을 ■ m라 하면 ■ $\times \frac{4}{5} = 1\frac{1}{2}$ 입니다.

$$■ = 1\frac{1}{2} \div \frac{4}{5} = \frac{□}{2} \times \frac{5}{□} = □ = □$$

따라서 평행사변형의 밑변은 □ m입니다.

답 _____

2 넓이가 $\frac{7}{40}$ m²인 삼각형의 밑변이 $\frac{7}{20}$ m라면 높이는 몇 m인지 풀이 과정을 쓰고 답을 구하시오.

✎ 삼각형의 높이를 ■ m라 하면 $\frac{7}{20} \times$ ■ $\div 2 = \frac{7}{40}$ 입니다.

$$■ = \frac{7}{40} \times 2 \div \frac{7}{20} = \frac{□}{40} \div \frac{□}{20} = \frac{□}{40} \times \frac{20}{□} = □$$

따라서 삼각형의 높이는 □ m입니다.

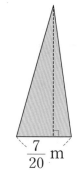

$\frac{7}{20}$ m

답 _____

1 오른쪽은 넓이가 $4\frac{1}{5}$ m²인 마름모입니다. 이 마름모의 한 대각선이 $2\frac{4}{5}$ m라면 다른 대각선은 몇 m인지 풀이 과정을 쓰고 답을 구하시오. (6점)

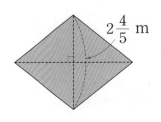

답 _____

2 오른쪽은 넓이가 $12\frac{27}{50}$ cm²인 사다리꼴입니다. 이 사다리꼴의 윗변이 2 cm이고 아랫변이 $5\frac{3}{5}$ cm라면 높이는 몇 cm인지 풀이 과정을 쓰고 답을 구하시오. (6점)

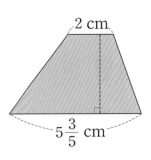

답 _____

3 오른쪽 직사각형의 넓이는 밑변이 8 cm, 높이가 $6\frac{3}{4}$ cm인 삼각형의 넓이와 같습니다. 직사각형의 세로는 몇 cm인지 풀이 과정을 쓰고 답을 구하시오. (6점)

답 _____

곰 인형 한 개를 만드는 데 $\frac{5}{6}$ 시간이 걸립니다. 하루에 8시간씩 5일 동안 만들 수 있는 곰 인형은 몇 개인지 풀이 과정을 쓰고 답을 구하시오. (5점)

서술 길라잡이 곰 인형을 만드는 전체 시간을 먼저 구합니다.

✎ (곰 인형을 만드는 전체 시간)$=8\times5=40$(시간)

(만들 수 있는 곰 인형 수)$=40\div\frac{5}{6}=(40\div5)\times6=48$(개)

따라서 하루에 8시간씩 5일 동안 만들 수 있는 곰 인형은 48개입니다. **답** ___48개___

평가기준	곰 인형을 만드는 전체 시간을 바르게 구한 경우	2점	합 5점
	만들 수 있는 곰 인형 수를 바르게 구한 경우	3점	

서술형 완성하기

빈칸을 채우며 서술형 풀이를 완성하고 답을 구하시오.

1 한 봉지에 $\frac{3}{4}$ kg인 소금이 5봉지 있습니다. 이 소금을 한 병에 $\frac{3}{8}$ kg씩 담는다면 모두 몇 병에 담을 수 있는지 풀이 과정을 쓰고 답을 구하시오.

✎ (전체 소금의 양)$=\frac{3}{4}\times5=\frac{\boxed{}}{4}$(kg)

(소금을 담는 병 수)$=\frac{\boxed{}}{4}\div\frac{\boxed{}}{8}=\frac{\boxed{}}{4}\times\frac{8}{\boxed{}}=\boxed{}$(병)

따라서 소금은 $\boxed{}$병에 담을 수 있습니다. **답** _____

2 $9\frac{1}{5}$ L들이 물통에 물이 2 L 들어 있습니다. 이 물통에 물을 가득 채우려면 $\frac{11}{20}$ L 들이 그릇으로 적어도 몇 번 부어야 하는지 풀이 과정을 쓰고 답을 구하시오.

✎ (물통에 더 부어야 할 물의 양)$=9\frac{1}{5}-2=\boxed{}$(L)

(물통에 더 부어야 할 물의 양)$\div$(물을 붓는 그릇의 들이)

$=\boxed{}\div\frac{11}{20}=\frac{\boxed{}}{5}\div\frac{11}{20}=\frac{\boxed{}}{5}\times\frac{\boxed{}}{11}=\frac{\boxed{}}{11}=\boxed{}$

따라서 물통에 물을 가득 채우려면 $\frac{11}{20}$ L들이 그릇으로 적어도 $\boxed{}+1=\boxed{}$(번) 부어야 합니다.

답 _____

1 가방 한 개를 만드는 데 $2\frac{1}{3}$ 시간이 걸립니다. 하루에 6시간씩 일주일 동안 일한다면 가방을 몇 개 만들 수 있는지 풀이 과정을 쓰고 답을 구하시오. (5점)

답 _____

2 한 포대에 $5\frac{1}{4}$ kg씩 들어 있는 밀가루가 5포대 있습니다. 이 밀가루를 한 봉지에 $2\frac{5}{8}$ kg씩 담는다면 몇 봉지에 담을 수 있는지 풀이 과정을 쓰고 답을 구하시오. (5점)

답 _____

3 $10\frac{1}{2}$ L들이 통에 우유가 3 L 들어 있습니다. 이 통에 우유를 가득 채우려면 $\frac{3}{5}$ L 들이 그릇으로 적어도 몇 번 부어야 하는지 풀이 과정을 쓰고 답을 구하시오. (6점)

답 _____

서술형 탐구

3장의 숫자 카드 ⬚1⬚ , ⬚3⬚ , ⬚5⬚ 를 모두 사용하여 가장 큰 대분수를 만들었습니다. 만든 대분수를 $\frac{3}{4}$ 으로 나눈 몫은 얼마인지 풀이 과정을 쓰고 답을 구하시오. (5점)

서술 길라잡이 먼저 만들 수 있는 가장 큰 대분수는 무엇인지 알아봅니다.

✎ 숫자 카드로 만들 수 있는 가장 큰 대분수는 $5\frac{1}{3}$ 입니다.

➡ $5\frac{1}{3} \div \frac{3}{4} = \frac{16}{3} \times \frac{4}{3} = \frac{64}{9} = 7\frac{1}{9}$

답 $7\frac{1}{9}$

평가 기준	만들 수 있는 가장 큰 대분수를 구한 경우	3점	합 5점
	만든 대분수를 $\frac{3}{4}$ 으로 나눈 몫을 구한 경우	2점	

서술형 완성하기

빈칸을 채우며 서술형 풀이를 완성하고 답을 쓰시오.

1 3장의 숫자 카드 ⬚2⬚ , ⬚3⬚ , ⬚4⬚ 를 모두 사용하여 만들 수 있는 가장 큰 대분수를 만들 수 있는 가장 작은 대분수로 나눈 몫은 얼마인지 풀이 과정을 쓰고 답을 구하시오.

✎ 숫자 카드로 만들 수 있는 가장 큰 대분수는 $\square\frac{\square}{3}$ 이고, 가장 작은 대분수는 $\square\frac{\square}{4}$ 입니다.

➡ $\square\frac{\square}{3} \div \square\frac{\square}{4} = \frac{\square}{3} \div \frac{\square}{4} = \frac{\square}{3} \times \frac{4}{\square} = \frac{\square}{33} = \square\frac{\square}{33}$

답 _____

2 4장의 숫자 카드 ⬚2⬚ , ⬚3⬚ , ⬚5⬚ , ⬚7⬚ 중 2장을 골라 만들 수 있는 가장 큰 진분수를 만들 수 있는 가장 작은 진분수로 나눈 몫은 얼마인지 풀이 과정을 쓰고 답을 구하시오.

✎ 숫자 카드로 만들 수 있는 가장 큰 진분수는 $\frac{\square}{7}$ 이고, 가장 작은 진분수는 $\frac{\square}{7}$ 입니다.

➡ $\frac{\square}{7} \div \frac{\square}{7} = \square \div \square = \frac{\square}{\square} = \square\frac{\square}{\square}$

답 _____

1 3장의 숫자 카드 3, 5, 9를 모두 사용하여 가장 큰 대분수를 만들었습니다.

만든 대분수를 $\frac{6}{7}$으로 나눈 몫은 얼마인지 풀이 과정을 쓰고 답을 구하시오. (5점)

답 _____

2 3장의 숫자 카드 5, 8, 2를 모두 사용하여 만들 수 있는 가장 큰 대분수를 만들 수 있는 가장 작은 대분수로 나눈 몫은 얼마인지 풀이 과정을 쓰고 답을 구하시오. (6점)

답 _____

3 4장의 숫자 카드 3, 5, 8, 9 중 2장을 골라 만들 수 있는 가장 큰 진분수를 만들 수 있는 가장 작은 진분수로 나눈 몫은 얼마인지 풀이 과정을 쓰고 답을 구하시오. (6점)

답 _____

1 $4\frac{1}{6} \div \frac{5}{12} = 10$입니다. 이 식을 계산하는 방법을 2가지로 설명해 보시오. (6점)

[방법 1]

[방법 2]

2 길이가 7 m인 색 테이프가 있습니다. 이 색 테이프를 한 사람에게 $1\frac{2}{5}$ m씩 나누어 주면 몇 명에게 나누어 줄 수 있는지 풀이 과정을 쓰고 답을 구하시오. (5점)

답 _____

3 미륵사지 석탑의 높이는 $14\frac{6}{25}$ m이고 불국사 삼층석탑의 높이는 $8\frac{1}{5}$ m입니다. 미륵사지 석탑의 높이는 불국사 삼층석탑 높이의 몇 배인지 풀이 과정을 쓰고 답을 구하시오. (5점)

답 _____

④ 오른쪽은 넓이가 $162\frac{3}{4}$ cm²이고 세로가 $10\frac{1}{2}$ cm인 직사각형 모양의 편지 봉투입니다. 이 편지 봉투의 가로는 세로의 몇 배인지 풀이 과정을 쓰고 답을 구하시오. (6점)

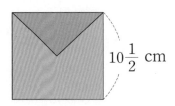

$10\frac{1}{2}$ cm

답 _____

 ⑤ 가로가 $6\frac{3}{4}$ m이고 세로가 6 m인 직사각형 모양의 꽃밭에 $4\frac{1}{2}$ L의 물을 고르게 뿌렸습니다. 물 1 L가 뿌려진 밭의 넓이는 몇 m²인지 풀이 과정을 쓰고 답을 구하시오. (5점)

답 _____

 ⑥ 3장의 숫자 카드 7 , 5 , 4 를 모두 사용하여 만들 수 있는 가장 큰 대분수를 만들 수 있는 가장 작은 대분수로 나눈 몫은 얼마인지 풀이 과정을 쓰고 답을 구하시오. (6점)

답 _____

흥미로운 수학 이야기
모임에 빠진 학생은 누구?

네 명의 학생이 함께 모여 수학 공부를 하기로 했어요.
그런데 모여서 수학 공부를 한 학생은 3명뿐이었다네요.
네 명의 학생 중 단 한 명만 옳은 말을 하고 있는거라면,
모임에 빠진 학생은 누구일까요?

예슬 : 동민이가 빠졌어요.
동민 : 영수가 빠진 거예요.
가영 : 나는 안빠졌어요.
영수 : 동민이가 한 말은 거짓말이에요.

⭐ 차근차근 생각하기

예슬이가 빠진 경우 : 가영이와 영수의 말이 사실
동민이가 빠진 경우 : 동민이의 말만 거짓
가영이가 빠진 경우 : 영수의 말만 사실
영수가 빠진 경우 : 동민이와 가영이의 말이 사실
따라서 모임에 빠진 학생은 가영이입니다.

② 소수의 나눗셈

7.2÷1.2＝6임을 3가지 방법으로 설명해 보시오. (6점)

서술 길라잡이 소수의 나눗셈은 같은 수를 똑같이 빼는 뺄셈식, 분수의 나눗셈으로 바꾸어 계산하기, 세로로 계산하기 등으로 설명할 수 있습니다.

[방법 1] 7.2에서 1.2를 6번 빼면 0이 됩니다.

[방법 2] 분수의 나눗셈으로 바꾸어 계산하면

$$7.2÷1.2＝\frac{72}{10}÷\frac{12}{10}＝72÷12＝6입니다.$$

[방법 3] 세로로 계산하면 다음과 같습니다.

$$1.2\overline{)7.2}$$

6 , 7 2 , 0

| 평가기준 | 7.2÷1.2＝6임을 바르게 설명한 경우 | 각 2점 | 합 6점 |

서술형 완성하기 빈칸을 채우며 서술형 풀이를 완성하시오.

1 3.36÷0.28＝336÷28임을 설명해 보시오.

3.36÷0.28＝$\frac{\boxed{}}{100}÷\frac{\boxed{}}{100}$입니다. 분모가 같은 분수의 나눗셈은 분자끼리의 나눗셈과

같으므로 $\frac{\boxed{}}{100}÷\frac{\boxed{}}{100}=\boxed{}÷\boxed{}$입니다.

따라서 3.36÷0.28＝$\boxed{}÷\boxed{}$입니다.

2 상연이가 잘못 계산한 것입니다. 틀린 이유를 쓰고, 바르게 계산하시오.

$$8.05÷3.5＝\frac{805}{100}÷\frac{35}{10}＝805÷35＝23$$

소수의 나눗셈을 분수의 나눗셈으로 계산할 때에는 분모가 같은 분수로 고쳐서 계산해야

하는데 8.05를 $\frac{\boxed{}}{100}$로, 3.5를 $\frac{\boxed{}}{10}$로 고쳐 분모가 다른데도 분자끼리 나누었습니다.

바르게 계산하면 8.05÷3.5＝$\frac{\boxed{}}{10}÷\frac{\boxed{}}{10}=\boxed{}÷\boxed{}=\boxed{}$입니다.

1 12.8÷1.6＝8임을 3가지 방법으로 설명해 보시오. (6점)

[방법 1]

[방법 2]

[방법 3]

2 15÷2.5＝150÷25임을 설명해 보시오. (4점)

3 가영이가 잘못 계산한 것입니다. 바르게 계산하고, 틀린 이유를 쓰시오. (4점)

잘못한 계산	바른 계산
$\begin{array}{r} 0.2\,8 \\ 1.2\,5\,)\overline{3\,5.0\,0} \\ 2\,5\,0 \\ \hline 1\,0\,0\,0 \\ 1\,0\,0\,0 \\ \hline 0 \end{array}$ ➡	

한별이와 예슬이는 길이가 18.9 m인 색 테이프를 하나씩 가지고 있습니다. 한별이는 색 테이프를 0.9 m씩 자르고, 예슬이는 0.7 m씩 잘랐습니다. 색 테이프를 자른 조각은 누가 몇 개 더 많은지 풀이 과정을 쓰고 답을 구하시오. (5점)

서술 길라잡이 한별이가 자른 조각 수와 예슬이가 자른 조각 수를 각각 구하여 두 수의 차를 구합니다.

✎ (한별이가 자른 조각 수)=18.9÷0.9=21(개)

(예슬이가 자른 조각 수)=18.9÷0.7=27(개)

따라서 예슬이가 자른 조각이 27−21=6(개) 더 많습니다.

답 　　　예슬, 6개

평가 기준	두 사람이 자른 조각 수를 각각 바르게 구한 경우	3점	합 5점
	조각 수는 누가 몇 개 더 많은지 바르게 구한 경우	2점	

서술형 완성하기 빈칸을 채우며 서술형 풀이를 완성하고 답을 구하시오.

1 종이비행기 한 개를 접는 데 한초는 1.25분이 걸리고, 지혜는 0.5분이 걸립니다. 한초와 지혜가 15분 동안 쉬지 않고 종이비행기를 접었다면 누가 몇 개 더 많이 접었는지 풀이 과정을 쓰고 답을 구하시오.

✎ (한초가 접은 종이비행기 수)=15÷□=□(개)

(지혜가 접은 종이비행기 수)=15÷□=□(개)

따라서 지혜가 종이비행기를 □−□=□(개) 더 많이 접었습니다.

답 　　　

2 ㉮ 수도에서는 물이 1분에 4.8 L씩 나오고, ㉯ 수도에서는 물이 1분에 7.2 L씩 나옵니다. 17.28 L들이 물통에 물을 가득 채우려면 어느 수도를 이용하는 것이 몇 분 더 빠른지 풀이 과정을 쓰고 답을 구하시오.

✎ (㉮ 수도로 물통을 채우는 데 걸리는 시간)=17.28÷□=□(분)

(㉯ 수도로 물통을 채우는 데 걸리는 시간)=17.28÷□=□(분)

따라서 17.28 L들이 물통에 물을 가득 채우려면 ㉯ 수도를 이용하는 것이

□−□=□(분) 더 빠릅니다.

답

1 지혜와 가영이는 리본을 14.4 m씩 가지고 있습니다. 지혜는 리본을 0.6 m씩 잘라 선물을 포장하였고, 가영이는 리본을 0.8 m씩 잘라 선물을 포장하였습니다. 두 사람이 포장한 선물은 모두 몇 개인지 풀이 과정을 쓰고 답을 구하시오. (5점)

답 _____

2 색종이로 바람개비 한 개를 접는 데 동민이는 0.6분이 걸리고, 신영이는 0.75분이 걸립니다. 동민이와 신영이가 24분 동안 쉬지 않고 바람개비를 접었다면 두 사람이 접은 바람개비는 모두 몇 개인지 풀이 과정을 쓰고 답을 구하시오. (5점)

답 _____

3 고속도로를 건설하는 데 ㉮ 건설회사는 하루에 0.54 km씩 도로를 만들고, ㉯ 건설회사는 하루에 0.36 km씩 도로를 만듭니다. 64.8 km의 도로를 만드는 데 어느 건설회사가 며칠 더 걸리는지 풀이 과정을 쓰고 답을 구하시오. (5점)

답 _____

어떤 수를 0.12로 나누어야 할 것을 잘못하여 곱하였더니 9가 되었습니다. 바르게 계산했을 때의 몫은 얼마인지 풀이 과정을 쓰고 답을 구하시오. (6점)

| 서술 길라잡이 | 어떤 수를 ☐라 하고 잘못 계산한 식에서 어떤 수를 구한 다음 바르게 계산합니다. |

✏️ 어떤 수를 ☐라 하면 잘못 계산한 식이 ☐×0.12＝9이므로

☐×0.12＝9, ☐＝9÷0.12＝75입니다.

따라서 바르게 계산하면 75÷0.12＝625입니다.

답 _____625_____

평가 기준	어떤 수를 바르게 구한 경우	3점	합 6점
	바르게 계산한 몫을 구한 경우	3점	

서술형 완성하기　빈칸을 채우며 서술형 풀이를 완성하고 답을 구하시오.

1 어떤 수를 0.8로 나누어야 할 것을 잘못하여 곱하였더니 3.68이 되었습니다. 바르게 계산했을 때의 몫은 얼마인지 풀이 과정을 쓰고 답을 구하시오.

✏️ 어떤 수를 ■라 하면 잘못 계산한 식이 ■×0.8＝3.68이므로

■×0.8＝3.68, ■＝☐÷☐＝☐입니다.

따라서 바르게 계산하면 ☐÷☐＝☐입니다.

답 _____

2 6.6을 어떤 수로 나누어야 할 것을 잘못하여 곱하였더니 7.92가 되었습니다. 바르게 계산했을 때의 몫은 얼마인지 풀이 과정을 쓰고 답을 구하시오.

✏️ 어떤 수를 ■라 하면 잘못 계산한 식이 6.6×■＝7.92이므로

6.6×■＝7.92, ■＝☐÷☐＝☐입니다.

따라서 바르게 계산하면 ☐÷☐＝☐입니다.

답 _____

1 어떤 수를 1.25로 나누어야 할 것을 잘못하여 곱하였더니 60이 되었습니다. 바르게 계산했을 때의 몫은 얼마인지 풀이 과정을 쓰고 답을 구하시오. (6점)

답 _____

2 어떤 수를 0.4로 나누어야 할 것을 잘못하여 곱하였더니 4.56이 되었습니다. 바르게 계산했을 때의 몫은 얼마인지 풀이 과정을 쓰고 답을 구하시오. (6점)

답 _____

3 4.2를 어떤 수로 나누어야 할 것을 잘못하여 곱하였더니 23.52가 되었습니다. 바르게 계산했을 때의 몫은 얼마인지 풀이 과정을 쓰고 답을 구하시오. (6점)

답 _____

선물 상자 하나를 묶는 데 끈이 0.6 m 사용됩니다. 4.7 m의 끈으로는 상자를 몇 개까지 묶을 수 있고, 남는 끈은 몇 m인지 풀이 과정을 쓰고 답을 구하시오. (5점)

서술 길라잡이 묶을 수 있는 상자 수를 구해야 하므로 몫을 자연수까지 구합니다.

$$
\begin{array}{r}
7 \leftarrow \text{묶을 수 있는 상자 수} \\
0.6\overline{)4.7} \\
\underline{4\,2} \\
0.5 \leftarrow \text{묶고 남는 끈}
\end{array}
$$

따라서 상자를 7개까지 묶을 수 있고, 남는 끈은 0.5 m입니다.

답 7개, 0.5 m

평가기준		합
나눗셈식에서 몫과 남는 양을 바르게 구한 경우	3점	5점
문제에 알맞은 답을 구한 경우	2점	

서술형 완성하기

빈칸을 채우며 서술형 풀이를 완성하고 답을 구하시오.

1 별 모양 한 개를 만드는 데 0.8 m의 철사가 사용됩니다. 5.2 m의 철사로는 별 모양을 몇 개까지 만들 수 있고, 남는 철사는 몇 m인지 풀이 과정을 쓰고 답을 구하시오.

$$
\begin{array}{r}
\boxed{} \leftarrow \text{만들 수 있는 별 모양} \\
0.8\overline{)5.2} \\
\boxed{} \\
\boxed{} \leftarrow \text{남는 철사}
\end{array}
$$

따라서 별 모양을 ☐ 개까지 만들 수 있고, 남는 철사는 ☐ m입니다.

답 _____

2 2.7 L들이 양동이로 물탱크에 있는 물을 모두 옮기려고 합니다. 물탱크에 있는 물이 83.2 L라고 할 때, 이 물을 모두 옮기려면 양동이로 적어도 몇 번 날라야 하는지 풀이 과정을 쓰고 답을 구하시오.

$$
\begin{array}{r}
\boxed{} \leftarrow \text{양동이로 옮긴 횟수} \\
2.7\overline{)8\,3.2} \\
\boxed{} \\
\boxed{} \leftarrow \text{남는 물}
\end{array}
$$

양동이에 물을 가득 채워서 ☐ 번 나르고, 물이 ☐ L 남습니다.

따라서 남은 물도 옮겨야 하므로 양동이로 모두 ☐ 번 날라야 합니다.

답 _____

1 681.5 kg까지 탈 수 있는 엘리베이터가 있습니다. 이 엘리베이터에 몸무게가 64.8 kg인 사람은 몇 명까지 탈 수 있고, 더 탈 수 있는 무게는 몇 kg인지 풀이 과정을 쓰고 답을 구하시오. (5점)

답 _____

2 빨간색 페인트 14.95 L와 노란색 페인트 23.4 L를 섞어 주황색 페인트를 만들었습니다. 만든 주황색 페인트를 1.8 L들이 통에 가득 채운다면 페인트를 가득 채운 통은 몇 개이고, 남는 페인트는 몇 L인지 풀이 과정을 쓰고 답을 구하시오. (6점)

답 _____

3 3.5 t까지 실을 수 있는 트럭으로 창고에 있는 물건들을 항구로 나르려고 합니다. 창고에 있는 물건들의 무게가 47.8 t이라고 할 때, 이 물건들을 모두 실어 나르려면 트럭으로 적어도 몇 번 날라야 하는지 풀이 과정을 쓰고 답을 구하시오. (6점)

답 _____

신영이네 집에서 기르는 강아지의 무게는 3.12 kg이고 고양이의 무게는 2.87 kg입니다. 강아지의 무게는 고양이 무게의 약 몇 배인지 반올림하여 소수 첫째 자리까지 나타내려고 합니다. 풀이 과정을 쓰고 답을 구하시오. (6점)

서술 길라잡이 강아지의 무게를 고양이의 무게로 나누어 봅니다.

✎ (강아지의 무게)÷(고양이의 무게)
　＝3.12÷2.87＝1.08··· → 1.1
따라서 강아지의 무게는 고양이 무게의 약 1.1배입니다.

답 ___약 1.1배___

평가기준	나눗셈식에서 몫을 바르게 구한 경우	3점	합 6점
	구한 몫을 반올림하여 약 몇 배인지 바르게 구한 경우	3점	

서술형 완성하기 빈칸을 채우며 서술형 풀이를 완성하고 답을 구하시오.

1 쇠파이프 2 m 14 cm의 무게가 83.32 kg이라고 합니다. 쇠파이프 1 m의 무게는 약 몇 kg인지 반올림하여 소수 첫째 자리까지 나타내려고 합니다. 풀이 과정을 쓰고 답을 구하시오.

✎ (쇠파이프의 길이)＝2 m 14 cm＝□ m

(쇠파이프의 전체 무게)÷(쇠파이프의 전체 길이)

＝□÷□＝38.93··· → □

따라서 쇠파이프 1 m의 무게는 약 □ kg입니다.　　　**답** _____

2 나눗셈의 몫을 구할 때, 몫의 소수 열다섯째 자리에 해당하는 숫자를 구하려고 합니다. 풀이 과정을 쓰고 답을 구하시오.

$$8.5 \div 3.3$$

✎ 8.5÷3.3＝2.5757···이므로 8.5÷3.3의 몫에서 소수점 아래는 □, □의 숫자 □개가 반복됩니다.

소수 열다섯째 자리까지 숫자가 □개씩 반복되므로 15÷□＝□ ··· 1에서 소수 열다섯째 자리 숫자는 소수 첫째 자리 숫자와 같습니다.

따라서 소수 열다섯째 자리 숫자는 □입니다.　　　**답** _____

1 효근이의 멀리뛰기 기록은 2.136 m이고 영수의 기록은 1.84 m입니다. 효근이의 멀리뛰기 기록은 영수 기록의 약 몇 배인지 반올림하여 소수 첫째 자리까지 나타내려고 합니다. 풀이 과정을 쓰고 답을 구하시오. (6점)

답 _____

2 가영이네 집 앞 소나무의 높이는 10 m 40 cm이고 전봇대의 높이는 8.2 m입니다. 소나무의 높이는 전봇대 높이의 약 몇 배인지 반올림하여 소수 첫째 자리까지 나타내려고 합니다. 풀이 과정을 쓰고 답을 구하시오. (6점)

답 _____

3 나눗셈의 몫을 구할 때, 몫의 소수 열넷째 자리에 해당하는 숫자를 구하려고 합니다. 풀이 과정을 쓰고 답을 구하시오. (6점)

$$2.5 \div 1.11$$

답 _____

1 17.5÷3.5＝5임을 3가지 방법으로 설명해 보시오. (6점)

✏ [방법 1]

　　　[방법 2]

　　　[방법 3]

2 어느 공장에서 음료수를 생산하는 데 ㉮ 기계에서는 1분에 1.5 L씩 만들어 내고, ㉯ 기계에서는 1분에 2.75 L씩 만들어 냅니다. 33 L의 음료수를 만들려면 어느 기계로 만드는 것이 몇 분 더 빠른지 풀이 과정을 쓰고 답을 구하시오. (5점)

답 ＿＿＿＿＿＿＿

3 85를 어떤 수로 나누어야 할 것을 잘못하여 곱하였더니 212.5가 되었습니다. 바르게 계산했을 때의 몫은 얼마인지 풀이 과정을 쓰고 답을 구하시오. (6점)

답 ＿＿＿＿＿＿＿

4 뜨거운 물 3.5 L와 차가운 물 4.1 L를 섞어 미지근한 물을 만들어 코코아를 타려고 합니다. 코코아 한 잔을 타는 데 0.12 L의 물이 필요하다면 코코아는 몇 잔 탈 수 있고, 남는 물은 몇 L인지 풀이 과정을 쓰고 답을 구하시오. (6점)

답 _____

5 나눗셈의 몫을 구할 때, 몫의 소수 22째 자리에 해당하는 숫자를 구하려고 합니다. 풀이 과정을 쓰고 답을 구하시오. (6점)

$$81.75 \div 2.75$$

답 _____

6 어떤 마라톤 선수가 42.195 km를 2시간 12분 만에 완주했습니다. 이 선수가 한 시간 동안 달린 평균 거리는 약 몇 km인지 반올림하여 소수 첫째 자리까지 나타내려고 합니다. 풀이 과정을 쓰고 답을 구하시오. (6점)

답 _____

흥미로운 수학 이야기

금화 나누기

A, B 두 사람이 사막을 여행하고 있었어요. 두 사람은 식량으로 빵을 준비했는데 A는 2개, B는 3개를 준비했어요. 점심시간이 되어 빵을 먹으려고 하는데 몹시 배가 고픈 나그네가 나타나서 너무 배가 고프니 빵을 좀 나누어 줄 수 있겠느냐고 하는 거예요. 두 사람은 흔쾌히 허락하여 두 사람의 빵을 셋이서 똑같이 나누어 먹었어요. 그 나그네는 감사의 표시로 금화 5개를 내어놓으면서 자기가 먹은 빵의 양에 상응하는 금화를 나누어 가지라고 말하고 떠났어요.

B는 자신의 빵이 3개였으므로 금화 3개를 가지고, A에게 2개의 금화를 주었어요. 그랬더니 A가 계산이 맞지 않는다고 받지 않는 거예요. 두 사람이 이렇게 실랑이를 하고 있을 때 그 곳을 지나던 현명한 사람이 이들의 이야기를 듣고 나그네의 뜻대로 공평하게 금화를 나누어 주었답니다.

두 사람은 각각 몇 개의 금화를 가졌을까요?

⭐ 차근차근 생각하기

빵은 모두 5개이고 사람은 3명이므로 한 사람이 $5 \div 3 = \frac{5}{3}$(개)의 빵을 먹은 셈입니다.

나그네가 먹은 빵이 $\frac{5}{3}$개이고 금화 5개를 지불하였으므로 빵 $\frac{1}{3}$개당 금화 1개를 내어놓은 것이지요.

A의 빵은 2개, 즉 $\frac{6}{3}$개였는데 그중 A가 $\frac{5}{3}$개를 먹었으므로 나그네에게 준 빵은 $\frac{1}{3}$개이고,

B의 빵은 3개, 즉 $\frac{9}{3}$개였는데 그중 B가 $\frac{5}{3}$개를 먹었으므로 나그네에게 준 빵은 $\frac{4}{3}$개입니다.

따라서 금화는 A가 1개, B가 4개를 가져야 합니다.

3 공간과 입체

오른쪽 모양과 같이 쌓기 위해 필요한 쌓기나무의 수는 모두 몇 개인지 풀이 과정을 쓰고 답을 구하시오. (4점)

위에서 본 모양

서술 길라잡이 각 층별로 나누어 쌓기나무의 수를 구해봅니다.

✏️ 각 층별로 나누어 쌓기나무의 수를 알아보면 1층은 4개, 2층은 3개, 3층은 1개입니다.

따라서 필요한 쌓기나무의 수는 모두 4+3+1=8(개)입니다.

답 ___8개___

평가 기준	각 층별로 나누어 쌓기나무의 수를 바르게 구한 경우	2점	합 4점
	필요한 쌓기나무의 수를 바르게 구한 경우	2점	

서술형 완성하기

빈칸을 채우며 서술형 풀이를 완성하고 답을 쓰시오.

1 오른쪽 모양과 같이 쌓기 위해 필요한 쌓기나무의 수는 모두 몇 개인지 풀이 과정을 쓰고 답을 구하시오.

위에서 본 모양

✏️ 각 층별로 나누어 쌓기나무의 수를 알아보면 1층은 ☐ 개,

2층은 ☐ 개입니다.

따라서 필요한 쌓기나무의 수는 모두 ☐+☐=☐(개)입니다.

답 _____

2 오른쪽 모양과 같이 쌓기 위해 필요한 쌓기나무의 수는 모두 몇 개인지 풀이 과정을 쓰고 답을 구하시오.

위에서 본 모양

✏️ 각 층별로 나누어 쌓기나무의 수를 알아보면 1층은 ☐ 개, 2층은 ☐ 개, 3층은 ☐ 개입니다.

따라서 필요한 쌓기나무의 수는 모두 ☐+☐+☐=☐(개)입니다.

답 _____

1 오른쪽 모양과 같이 쌓기 위해 필요한 쌓기나무의 수는 모두 몇 개인지 풀이 과정을 쓰고 답을 구하시오. (4점)

위에서 본 모양

답 _____

2 오른쪽 모양과 같이 쌓기 위해 필요한 쌓기나무의 수는 모두 몇 개인지 풀이 과정을 쓰고 답을 구하시오.

(4점)

위에서 본 모양

답 _____

3 오른쪽 모양과 같이 쌓기 위해 필요한 쌓기나무의 수는 모두 몇 개인지 풀이 과정을 쓰고 답을 구하시오. (4점)

위에서 본 모양

답 _____

정육면체 모양에서 쌓기나무를 몇 개 빼내었더니 오른쪽과 같은 모양이 되었습니다. 빼낸 쌓기나무는 몇 개인지 풀이 과정을 쓰고 답을 구하시오. (5점)

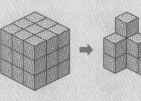

위에서 본 모양

서술 길라잡이 정육면체 모양에 사용된 쌓기나무의 수와 빼낸 후에 남은 쌓기나무 수를 각각 구한 다음 두 수의 차를 알아봅니다.

🖊 정육면체 모양에 사용된 쌓기나무의 수는 $3 \times 3 \times 3 = 27$(개)이고 빼낸 후 남은 쌓기나무의 수는 8개이므로 빼낸 쌓기나무는 $27 - 8 = 19$(개)입니다.

답 _____19개_____

평가 기준	정육면체 모양에 사용된 쌓기나무 수를 바르게 구한 경우	2점	합 5점
	빼낸 후 남은 모양의 쌓기나무 수를 바르게 구한 경우	2점	
	빼낸 쌓기나무 수를 바르게 구한 경우	1점	

서술형 완성하기

빈칸을 채우며 서술형 풀이를 완성하고 답을 쓰시오.

1 직육면체 모양에서 쌓기나무를 몇 개 빼내었더니 오른쪽과 같은 모양이 되었습니다. 빼낸 쌓기나무는 몇 개인지 풀이 과정을 쓰고 답을 구하시오.

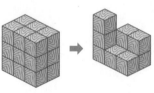

위에서 본 모양

🖊 직육면체 모양에 사용된 쌓기나무의 수는 ☐ $\times 2 \times$ ☐ $= 18$(개)이고 빼낸 후 남은 쌓기나무의 수는 ☐개이므로 빼낸 쌓기나무는 ☐ $-$ ☐ $=$ ☐(개)입니다.

답 _____

2 오른쪽 모양에 쌓기나무를 더 쌓아서 정육면체 모양을 만들려고 합니다. 쌓기나무는 적어도 몇 개가 더 필요한지 풀이 과정을 쓰고 답을 구하시오.

위에서 본 모양

🖊 주어진 모양의 쌓기나무 수는 ☐개이고, 쌓기나무를 가장 적게 사용하여 만들 수 있는 정육면체의 쌓기나무 수는 ☐ $\times$ ☐ $\times$ ☐ $=$ ☐(개)입니다.

따라서 더 필요한 쌓기나무는 ☐ $-$ ☐ $=$ ☐(개)입니다.

답 _____

1 정육면체 모양에서 쌓기나무를 몇 개 빼내었더니 오른쪽과 같은 모양이 되었습니다. 빼낸 쌓기나무는 몇 개인지 풀이 과정을 쓰고 답을 구하시오. (5점)

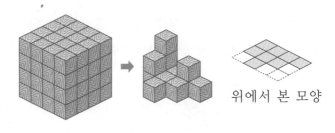

위에서 본 모양

답 _____

2 직육면체 모양에서 쌓기나무를 몇 개 빼내었더니 오른쪽과 같은 모양이 되었습니다. 빼낸 쌓기나무는 몇 개인지 풀이 과정을 쓰고 답을 구하시오. (5점)

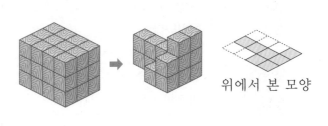

위에서 본 모양

답 _____

3 오른쪽 모양에 쌓기나무를 더 쌓아서 정육면체 모양을 만들려고 합니다. 쌓기나무는 적어도 몇 개가 더 필요한지 풀이 과정을 쓰고 답을 구하시오. (5점)

위에서 본 모양

답 _____

쌓기나무 16개로 다음 모양을 만들었습니다. 앞에서 본 모양과 옆에서 본 모양을 각각 그려 보고, 그린 방법을 설명하시오. (5점)

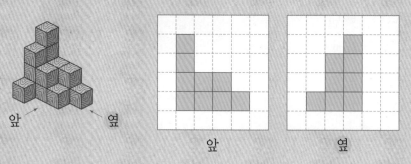

앞   옆

서술 길라잡이 앞에서 본 모양과 옆에서 본 모양은 각 방향에서 각 줄의 가장 높은 층의 모양과 같습니다.

✏️ 앞에서 본 모양과 옆에서 본 모양은 각 방향에서 각 줄의 가장 높은 층의 모양과 같습니다. 따라서 앞에서 보면 왼쪽부터 4층, 2층, 2층, 1층으로 보이고, 옆에서 보면 왼쪽부터 1층, 3층, 4층으로 보입니다.

평가 기준	앞에서 본 모양과 옆에서 본 모양을 바르게 그린 경우	3점	합 5점
	그린 방법을 바르게 설명한 경우	2점	

서술형 완성하기   빈칸을 채우며 서술형 풀이를 완성하시오.

1 □ 안의 수는 그곳에 쌓아 올린 쌓기나무의 수입니다. 앞에서 본 모양과 옆에서 본 모양을 각각 그려 보고, 그린 방법을 설명하시오.

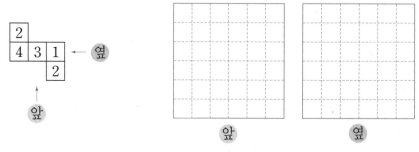

앞   옆

✏️ 앞에서 본 모양과 옆에서 본 모양은 각 방향에서 각 줄의 가장 높은 층의 모양과 같습니다.

따라서 앞에서 보면 왼쪽부터 4층, ☐층, ☐층으로 보이고, 옆에서 보면 왼쪽부터 2층, ☐층, ☐층으로 보입니다.

1 쌓기나무 18개로 다음 모양을 만들었습니다. 앞에서 본 모양과 옆에서 본 모양을 각각 그려 보고, 그린 방법을 설명하시오. (5점)

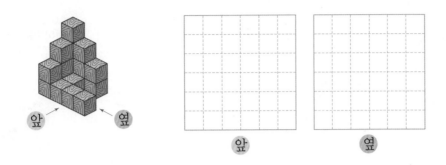

2 □ 안의 수는 그곳에 쌓아 올린 쌓기나무의 수입니다. 앞에서 본 모양과 옆에서 본 모양을 각각 그려 보고, 그린 방법을 설명하시오. (5점)

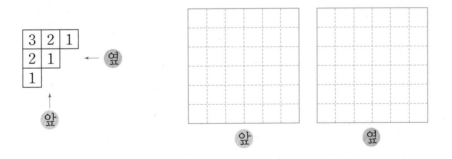

오른쪽 모양에 연결큐브 1개를 더 붙여서 만들 수 있는 모양은 모두 몇 가지인지 풀이 과정을 쓰고 답을 구하시오. (단, 모양을 뒤집거나 돌려서 모양이 같으면 같은 모양입니다.) (5점)

> **서술 길라잡이** 연결큐브를 중복되는 모양이 없도록 규칙을 가지고 자리를 옮겨 가며 붙여 봅니다.

✎ 주어진 모양에 연결큐브를 1개 더 붙여서 만들 수 있는 모양은 오른쪽과 같습니다.

따라서 만들 수 있는 모양은 모두 2가지입니다.

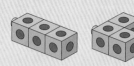

답   2가지

평가 기준	만들 수 있는 모양을 모두 찾은 경우	3점	합 5점
	답을 바르게 구한 경우	2점	

서술형 완성하기   빈칸을 채우며 서술형 풀이를 완성하고 답을 쓰시오.

1 오른쪽 모양에 연결큐브 1개를 더 붙여서 만들 수 있는 모양은 모두 몇 가지인지 풀이 과정을 쓰고 답을 구하시오. (단, 모양을 뒤집거나 돌려서 모양이 같으면 같은 모양입니다.)

✎ 주어진 모양에 연결큐브를 ☐개 더 붙여서 만들 수 있는

모양은 오른쪽과 같습니다.

따라서 만들 수 있는 모양은 모두 ☐가지입니다.

답 _____

2 오른쪽 모양에 연결큐브 1개를 더 붙여서 만들 수 있는 모양은 모두 몇 가지인지 풀이 과정을 쓰고 답을 구하시오. (단, 모양을 뒤집거나 돌려서 모양이 같으면 같은 모양입니다.)

✎ 주어진 모양에 연결큐브를 ☐개 더 붙여서 만들 수 있는 모양은 다음과 같습니다.

따라서 만들 수 있는 모양은 모두 ☐가지입니다.

답 _____

1 오른쪽 모양에 연결큐브 1개를 더 붙여서 만들 수 있는 모양은 모두 몇 가지인지 풀이 과정을 쓰고 답을 구하시오. (단, 모양을 뒤집거나 돌려서 모양이 같으면 같은 모양입니다.) (5점)

답 _____

2 오른쪽 모양에 연결큐브 1개를 더 붙여서 만들 수 있는 모양은 모두 몇 가지인지 풀이 과정을 쓰고 답을 구하시오. (단, 모양을 뒤집거나 돌려서 모양이 같으면 같은 모양입니다.) (5점)

답 _____

3 연결큐브 4개로 만들 수 있는 모양은 모두 몇 가지인지 풀이 과정을 쓰고, 답을 구하시오. (단, 모양을 뒤집거나 돌려서 모양이 같으면 같은 모양입니다.) (5점)

답 _____

1 오른쪽 모양과 같이 쌓기 위해 필요한 쌓기나무의 수는 모두 몇 개인지 풀이 과정을 쓰고 답을 구하시오. (4점)

위에서 본 모양

답 _____

2 가와 나 모양 중 쌓기나무가 더 많이 사용된 모양은 어느 것인지 풀이 과정을 쓰고 답을 구하시오. (4점)

가   나

위에서 본 모양   위에서 본 모양

답 _____

3 정육면체 모양에서 쌓기나무를 몇 개 빼내었더니 오른쪽과 같았습니다. 빼낸 쌓기나무는 몇 개인지 풀이 과정을 쓰고 답을 구하시오. (5점)

위에서 본 모양

답 _____

4 오른쪽 모양에 쌓기나무를 더 쌓아서 정육면체 모양을 만들려고 합니다. 쌓기나무는 적어도 몇 개가 더 필요한지 풀이 과정을 쓰고 답을 구하시오. (5점)

위에서 본 모양

답 _____

5 □ 안의 수는 그곳에 쌓아 올린 쌓기나무의 수입니다. 앞에서 본 모양과 옆에서 본 모양을 각각 그려 보고, 그린 방법을 설명하시오. (5점)

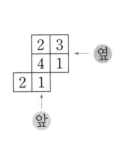

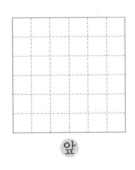

앞

옆

6 오른쪽 모양에 연결큐브 1개를 더 붙여서 만들 수 있는 모양은 모두 몇 가지인지 풀이 과정을 쓰고 답을 구하시오. (단, 모양을 뒤집거나 돌려서 모양이 같으면 같은 모양입니다.) (5점)

답 _____

흥미로운 수학 이야기

수학자들은 속담을 이렇게 이해한다!!

아는 길도 물어봐라.

검산해라.

언 발에 오줌 누기(임시방편)

수학문제를 풀 때 마구잡이로 대입하기

실패는 성공의 어머니!!!

마구잡이로 대입하다 100번 실패하고 101번째 성공했을 때 쓰는 속담

에이~ 엉터리!

후비적 후비적

모로 가도 서울만 가면 된다.

아무렇게나 풀어도 답만 맞으면 된다.

아하하~! 말이 되는것도 같고, 아닌 것도 같고…

콩 심은 데 콩 나고 팥 심은 데 팥 난다.

풀이 방법이 정확해야 답이 맞는다.

4 비례식과 비례배분

빨간색 구슬이 45개, 파란색 구슬이 40개 있습니다. 빨간색 구슬 수와 파란색 구슬 수의 비를 가장 간단한 자연수의 비로 나타내려고 합니다. 풀이 과정을 쓰고 답을 구하시오. (4점)

> **서술 길라잡이** (자연수) : (자연수)를 가장 간단한 자연수의 비로 나타내려면 각 항을 두 수의 최대공약수로 나눕니다.

✎ 빨간색 구슬 수와 파란색 구슬 수의 비는 45 : 40입니다.

45와 40의 최대공약수는 5이므로 가장 간단한 자연수의 비로 나타내면

45 : 40 ➡ (45÷5) : (40÷5) ➡ 9 : 8입니다.

답 ___9 : 8___

평가기준	빨간색 구슬 수와 파란색 구슬 수의 비를 바르게 구한 경우	2점	합 4점
	비를 가장 간단한 자연수의 비로 나타낸 경우	2점	

서술형 완성하기 빈칸을 채우며 서술형 풀이를 완성하고 답을 쓰시오.

1 석기네 반은 남학생이 14명, 여학생이 12명입니다. 남학생 수와 여학생 수의 비를 가장 간단한 자연수의 비로 나타내려고 합니다. 풀이 과정을 쓰고 답을 구하시오.

✎ 남학생 수와 여학생 수의 비는 14 : 12입니다.

14와 12의 최대공약수는 $\boxed{}$ 이므로 가장 간단한 자연수의 비로 나타내면

14 : 12 ➡ (14÷$\boxed{}$) : (12÷$\boxed{}$) ➡ $\boxed{}$: $\boxed{}$ 입니다.

답 _____

2 사과의 무게는 $\frac{1}{4}$ kg이고, 배의 무게는 $\frac{5}{6}$ kg입니다. 사과의 무게와 배의 무게의 비를 가장 간단한 자연수의 비로 나타내려고 합니다. 풀이 과정을 쓰고 답을 구하시오.

✎ 사과의 무게와 배의 무게의 비는 $\frac{1}{4}$: $\frac{5}{6}$ 입니다.

두 분모 4와 6의 최소공배수는 $\boxed{}$ 이므로 가장 간단한 자연수의 비로 나타내면

$\frac{1}{4}$: $\frac{5}{6}$ ➡ ($\frac{1}{4}$×$\boxed{}$) : ($\frac{5}{6}$×$\boxed{}$) ➡ $\boxed{}$: $\boxed{}$ 입니다.

답 _____

1 주스를 예슬이는 0.25 L 마셨고, 지혜는 0.2 L 마셨습니다. 예슬이가 마신 주스와 지혜가 마신 주스의 비를 가장 간단한 자연수의 비로 나타내려고 합니다. 풀이 과정을 쓰고 답을 구하시오. (4점)

2 빨간색 테이프의 길이는 $1\frac{3}{5}$ m이고, 파란색 테이프의 길이는 $2\frac{1}{4}$ m입니다. 빨간색 테이프의 길이와 파란색 테이프의 길이의 비를 가장 간단한 자연수의 비로 나타내려고 합니다. 풀이 과정을 쓰고 답을 구하시오. (4점)

3 6학년 전체 학생은 185명이고 이 중 남학생은 95명이라고 합니다. 남학생 수와 여학생 수의 비를 가장 간단한 자연수의 비로 나타내려고 합니다. 풀이 과정을 쓰고 답을 구하시오. (4점)

서술형 탐구

비율이 같은 비를 찾아 비례식으로 나타내려고 합니다. 풀이 과정을 쓰고 답을 구하시오. (4점)

$$3:4 \qquad 5:7 \qquad 9:12 \qquad 10:15$$

서술 길라잡이 비율이 같은 두 비를 기호 ＝를 사용하여 나타낸 식을 비례식이라고 합니다.

✐ $3:4 \to \dfrac{3}{4}$, $5:7 \to \dfrac{5}{7}$, $9:12 \to \dfrac{9}{12}=\dfrac{3}{4}$, $10:15 \to \dfrac{10}{15}=\dfrac{2}{3}$ 이므로

비율이 같은 비를 찾으면 3：4와 9：12입니다.

따라서 비례식으로 나타내면 3：4＝9：12 또는 9：12＝3：4입니다.

답 3：4＝9：12 또는 9：12＝3：4

평가 기준	비율이 같은 비를 찾은 경우	2점	합 4점
	비례식으로 바르게 나타낸 경우	2점	

서술형 완성하기

빈칸을 채우며 서술형 풀이를 완성하고 답을 쓰시오.

1 비율이 같은 비를 찾아 비례식으로 나타내려고 합니다. 풀이 과정을 쓰고 답을 구하시오.

$$1:7 \qquad 2:5 \qquad 8:20 \qquad 5:28$$

✐ $1:7 \to \dfrac{\boxed{}}{7}$, $2:5 \to \dfrac{\boxed{}}{5}$, $8:20 \to \dfrac{\boxed{}}{20}=\dfrac{\boxed{}}{5}$, $5:28 \to \dfrac{\boxed{}}{28}$ 이므로

비율이 같은 비를 찾으면 2：5와 $\boxed{}$：$\boxed{}$입니다.

따라서 비례식으로 나타내면 2：5＝$\boxed{}$：$\boxed{}$ 또는 $\boxed{}$：$\boxed{}$＝2：5입니다.

답

2 오른쪽의 두 비율을 보고 비례식으로 나타내려고 합니다. 풀이 과정을 쓰고 답을 구하시오.

$$\frac{4}{7}=\frac{12}{21}$$

✐ 두 비율을 각각 비로 나타내면 $\dfrac{4}{7} \to 4:\boxed{}$ 이고 $\dfrac{12}{21} \to \boxed{}:21$입니다.

따라서 두 비율을 보고 비례식으로 나타내면 $\dfrac{4}{7}=\dfrac{12}{21} \to 4:\boxed{}=\boxed{}:21$입니다.

답

1 비율이 같은 비를 찾아 비례식으로 나타내려고 합니다. 풀이 과정을 쓰고 답을 구하시오. (4점)

$$4 : 7 \quad 2 : 3 \quad 16 : 30 \quad 16 : 24$$

답 _____

2 비율이 같은 비를 찾아 비례식으로 나타내려고 합니다. 풀이 과정을 쓰고 답을 구하시오. (4점)

$$5 : 8 \quad 7 : 9 \quad 42 : 50 \quad 25 : 40$$

답 _____

3 오른쪽의 두 비율을 보고 비례식으로 나타내려고 합니다. 풀이 과정을 쓰고 답을 구하시오. (4점)

$$\frac{40}{48} = \frac{5}{6}$$

답 _____

3분에 25 L의 물이 나오는 수도꼭지가 있습니다. 이 수도꼭지로 150 L들이의 욕조에 물을 가득 채우려면 몇 분 동안 수도꼭지를 틀어 놓아야 하는지 풀이 과정을 쓰고 답을 구하시오. (5점)

서술 길라잡이 구하려고 하는 것을 ☐라 하여 비례식을 세웁니다.

🖉 수도꼭지를 틀어 놓아야 하는 시간을 ☐분이라고 하면

$3 : 25 = ☐ : 150$, $25 × ☐ = 3 × 150$, $25 × ☐ = 450$, $☐ = 18$입니다.

따라서 욕조에 물을 가득 채우려면 18분 동안 수도꼭지를 틀어 놓아야 합니다.

답 _____18분_____

평가 기준	비례식을 바르게 세운 경우	3점	합
	답을 바르게 구한 경우	2점	5점

서술형 완성하기

빈칸을 채우며 서술형 풀이를 완성하고 답을 쓰시오.

1 어떤 사람이 5일 동안 일을 하고 450000원을 받았습니다. 이 사람이 같은 일을 3일 동안 하면 얼마를 받을 수 있는지 풀이 과정을 쓰고 답을 구하시오.

🖉 3일 동안 일을 하고 받을 수 있는 돈을 ■원이라 하면

☐ : 450000 = ☐ : ■, ☐ × ■ = 450000 × ☐, ☐ × ■ = ☐,

■ = ☐ 입니다.

따라서 3일 동안 일을 하면 ☐ 원을 받을 수 있습니다.

답 _____

2 가영이네 반 학생의 25 %는 태권도를 좋아합니다. 태권도를 좋아하는 학생이 6명일 때, 반 전체 학생 수는 몇 명인지 풀이 과정을 쓰고 답을 구하시오.

🖉 25 %는 기준량이 100일 때의 비율이므로 비로 나타내면 25 : 100입니다.

반 전체 학생 수를 ■명이라 하여 비례식을 세우면

$25 : 100 = ☐ : ■$, $25 × ■ = 100 × ☐$, $25 × ■ = ☐$, ■ = ☐입니다.

따라서 가영이네 반 전체 학생 수는 ☐명입니다.

답 _____

1 5분 동안 7 km를 달리는 자동차가 있습니다. 이 자동차가 같은 빠르기로 45분 동안 달린다면 몇 km를 갈 수 있는지 풀이 과정을 쓰고 답을 구하시오. (5점)

답 _____

2 어떤 은행에 1년 동안 200000원을 예금하면 이자가 5000원입니다. 이 은행에 1년 동안 350000원을 예금하면 이자는 얼마인지 풀이 과정을 쓰고 답을 구하시오. (5점)

답 _____

3 어느 공장에서 하루에 생산하는 장난감의 16 %는 불량품이라고 합니다. 오늘 나온 불량품이 4개라면 오늘 생산한 장난감은 몇 개인지 풀이 과정을 쓰고 답을 구하시오. (5점)

답 _____

오른쪽 두 정사각형 ㉮, ㉯의 한 변의 길이의 비는 3 : 4입니다. 두 정사각형의 넓이의 비를 가장 간단한 자연수의 비로 나타내려고 합니다. 풀이 과정을 쓰고 답을 구하시오. (5점)

| 서술 길라잡이 | 길이의 비가 3 : 4로 주어진 경우 한 변의 길이를 각각 3 cm 와 4 cm로 생각하여 넓이의 비를 구해 봅니다. |

✎ ㉮의 한 변의 길이를 3 cm라 하면 ㉯의 한 변의 길이는 4 cm입니다.

(㉮의 넓이)=3×3=9(cm²), (㉯의 넓이)=4×4=16(cm²)

따라서 두 정사각형의 넓이의 비는 9 : 16입니다.

답 _____9 : 16_____

| 평가 기준 | 길이의 비를 이용하여 두 정사각형의 한 변의 길이를 임의로 정하여 넓이를 바르게 구한 경우 | 3점 | 합 5점 |
| | 넓이의 비를 가장 간단한 자연수의 비로 바르게 나타낸 경우 | 2점 | |

서술형 완성하기
빈칸을 채우며 서술형 풀이를 완성하고 답을 쓰시오.

1 오른쪽 두 정사각형 ㉮, ㉯의 한 변의 길이의 비는 6 : 5입니다. ㉮의 넓이가 72 cm²일 때 ㉯의 넓이는 몇 cm²인지 풀이 과정을 쓰고 답을 구하시오.

✎ ㉮의 한 변의 길이를 6 cm라 하면 ㉯의 한 변의 길이는 ☐ cm입니다.

(㉮의 넓이) : (㉯의 넓이)=(6×6) : (☐×☐)=36 : ☐

㉯의 넓이를 ■ cm²라 하면

36 : ☐=72 : ■, 36×■=☐×72, 36×■=☐, ■=☐입니다.

따라서 ㉯의 넓이는 ☐ cm²입니다.

답 _____

2 오른쪽 직사각형 ㉮, ㉯의 넓이의 비를 가장 간단한 자연수의 비로 나타내려고 합니다. 풀이 과정을 쓰고 답을 구하시오.

✎ (㉮의 넓이)=☐×(세로), (㉯의 넓이)=☐×(세로)이므로

넓이의 비는 (㉮의 넓이) : (㉯의 넓이)=☐×(세로) : ☐×(세로)입니다.

따라서 직사각형 ㉮, ㉯의 넓이의 비를 가장 작은 자연수의 비로 나타내면 ☐ : ☐입니다.

답 _____

3 cm   5 cm

1 오른쪽 두 정사각형 ㉮, ㉯의 한 변의 길이의 비는 3 : 2입니다. 두 정사각형의 넓이의 비를 가장 간단한 자연수의 비로 나타내려고 합니다. 풀이 과정을 쓰고 답을 구하시오. (5점)

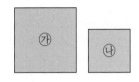

답 _____

2 오른쪽 두 정사각형 ㉮, ㉯의 한 변의 길이의 비는 4 : 7입니다. ㉮의 넓이가 96 cm²일 때 ㉯의 넓이는 몇 cm²인지 풀이 과정을 쓰고 답을 구하시오. (6점)

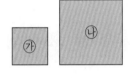

답 _____

3 오른쪽 직사각형 ㉮와 평행사변형 ㉯의 넓이의 비를 가장 간단한 자연수의 비로 나타내려고 합니다. 풀이 과정을 쓰고 답을 구하시오. (6점)

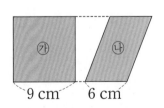

답 _____

오른쪽과 같이 서로 맞물려 돌아가는 두 톱니바퀴 ㉮, ㉯가 있습니다. ㉮가 5번 도는 동안 ㉯는 6번 돕니다. ㉮가 65번 도는 동안 ㉯는 몇 번 도는지 풀이 과정을 쓰고 답을 구하시오. (5점)

서술 길라잡이 톱니바퀴 ㉯의 회전수를 ☐로 하여 비례식을 세웁니다.

✎ ㉮가 65번 도는 동안 ㉯가 ☐번 돈다고 하면

5 : 6 = 65 : ☐, 5 × ☐ = 6 × 65, 5 × ☐ = 390, ☐ = 78입니다.

따라서 ㉮가 65번 도는 동안 ㉯는 78번 돕니다.

답 ___78번___

평가 기준	비례식을 바르게 세운 경우	3점	합 5점
	㉯의 회전수를 바르게 구한 경우	2점	

서술형 완성하기

빈칸을 채우며 서술형 풀이를 완성하고 답을 쓰시오.

1 오른쪽과 같이 서로 맞물려 돌아가는 두 톱니바퀴 ㉮, ㉯가 있습니다. ㉮의 톱니 수는 13개이고 ㉯의 톱니 수는 19개일 때, 두 톱니바퀴의 회전수의 비는 어떻게 되는지 설명해 보시오.

✎ 맞물린 전체 톱니 수는 서로 같으므로 ☐ × (㉮의 회전수) = ☐ × (㉯의 회전수)입니다.

☐ × (㉮의 회전수) = ☐ × (㉯의 회전수) ➡ (㉮의 회전수) : (㉯의 회전수) = ☐ : ☐

따라서 톱니 수의 비가 ☐ : ☐ 인 두 톱니바퀴의 회전수의 비는 ☐ : ☐ 입니다.

2 오른쪽과 같이 서로 맞물려 돌아가는 두 톱니바퀴 ㉮, ㉯가 있습니다. ㉮의 톱니 수는 24개이고 ㉯의 톱니 수는 36개입니다. ㉮가 12번 도는 동안 ㉯는 몇 번 도는지 풀이 과정을 쓰고 답을 구하시오.

✎ 톱니 수의 비가 ㉮ : ㉯ = 24 : 36이므로 회전수의 비는 ㉮ : ㉯ = 36 : ☐ 입니다.

회전수의 비를 가장 간단한 자연수의 비로 나타내면 36 : ☐ = ☐ : ☐ 이므로

㉯의 회전수를 ■번이라고 하면 ☐ : ☐ = 12 : ■, ☐ × ■ = ☐ × 12,

☐ × ■ = ☐, ■ = ☐입니다.

따라서 ㉮가 12번 도는 동안 ㉯는 ☐번 돕니다.

답 _____

1 오른쪽과 같이 서로 맞물려 돌아가는 두 톱니바퀴 ㉮, ㉯가 있습니다. ㉮가 8번 도는 동안 ㉯는 7번 돕니다. ㉯가 35번 도는 동안 ㉮는 몇 번 도는지 풀이 과정을 쓰고 답을 구하시오. (5점)

답 _____

2 오른쪽과 같이 서로 맞물려 돌아가는 두 톱니바퀴 ㉮, ㉯가 있습니다. ㉮의 톱니 수는 15개이고 ㉯의 톱니 수는 22개일 때, 두 톱니바퀴의 회전수의 비는 어떻게 되는지 설명해 보시오. (6점)

3 오른쪽과 같이 서로 맞물려 돌아가는 두 톱니바퀴 ㉮, ㉯가 있습니다. ㉮의 톱니 수는 40개이고 ㉯의 톱니 수는 25개입니다. ㉮가 15번 도는 동안 ㉯는 몇 번 도는지 풀이 과정을 쓰고 답을 구하시오. (6점)

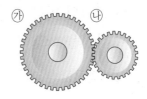

답 _____

원 ㉮와 원 ㉯가 오른쪽 그림과 같이 겹쳐져 있습니다. 겹쳐진 부분의 넓이는 ㉮의 넓이의 $\frac{1}{10}$이고, ㉯의 넓이의 $\frac{1}{4}$입니다. ㉮와 ㉯의 넓이의 비를 가장 간단한 자연수의 비로 나타내려고 합니다. 풀이 과정을 쓰고 답을 구하시오. (6점)

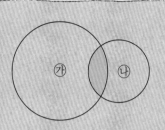

서술 길라잡이 겹치는 부분은 두 원에서 차지하는 비율은 다르지만 넓이는 같습니다.

🖉 겹쳐진 부분의 넓이는 같으므로 (㉮의 넓이)×$\frac{1}{10}$=(㉯의 넓이)×$\frac{1}{4}$입니다.

(㉮의 넓이) : (㉯의 넓이)=$\frac{1}{4}$: $\frac{1}{10}$이므로 가장 간단한 자연수의 비로 나타내면

$\frac{1}{4}$: $\frac{1}{10}$=($\frac{1}{4}$×20) : ($\frac{1}{10}$×20)=5 : 2입니다.

답   5 : 2

평가 기준	비례식으로 바르게 나타낸 경우	3점	합 6점
	가장 간단한 자연수의 비로 나타낸 경우	3점	

서술형 완성하기   빈칸을 채우며 서술형 풀이를 완성하고 답을 쓰시오.

1 원 ㉮와 원 ㉯가 오른쪽 그림과 같이 겹쳐져 있습니다. 겹쳐진 부분의 넓이는 ㉮의 넓이의 $\frac{3}{4}$이고, ㉯의 넓이의 $\frac{2}{5}$입니다. ㉮와 ㉯의 넓이의 비를 가장 간단한 자연수의 비로 나타내려고 합니다. 풀이 과정을 쓰고 답을 구하시오.

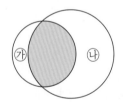

🖉 겹쳐진 부분의 넓이는 같으므로 (㉮의 넓이)× ☐ =(㉯의 넓이)× ☐ 입니다.

(㉮의 넓이) : (㉯의 넓이)= ☐ : ☐ 이므로 가장 간단한 자연수의 비로 나타내면

☐ : ☐ =(☐ ×20) : (☐ ×20)= ☐ : ☐ 입니다.

답

1 원 ㉮와 원 ㉯가 오른쪽 그림과 같이 겹쳐져 있습니다. 겹쳐진 부분의 넓이는 ㉮의 넓이의 $\frac{1}{5}$이고, ㉯의 넓이의 $\frac{1}{3}$입니다. ㉮와 ㉯의 넓이의 비를 가장 간단한 자연수의 비로 나타내려고 합니다. 풀이 과정을 쓰고 답을 구하시오. (6점)

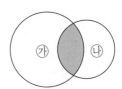

답 _____

2 원 ㉮와 원 ㉯가 오른쪽 그림과 같이 겹쳐져 있습니다. 겹쳐진 부분의 넓이는 ㉮의 넓이의 $\frac{4}{7}$이고, ㉯의 넓이의 $\frac{5}{9}$입니다. ㉮와 ㉯의 넓이의 비를 가장 간단한 자연수의 비로 나타내려고 합니다. 풀이 과정을 쓰고 답을 구하시오. (6점)

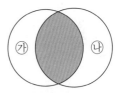

답 _____

3 원 ㉮와 직사각형 ㉯가 오른쪽 그림과 같이 겹쳐져 있습니다. 겹쳐진 부분의 넓이는 ㉮의 넓이의 $\frac{5}{8}$이고, ㉯의 넓이의 $\frac{3}{7}$입니다. ㉮와 ㉯의 넓이의 비를 가장 간단한 자연수의 비로 나타내려고 합니다. 풀이 과정을 쓰고 답을 구하시오. (6점)

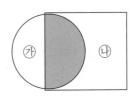

답 _____

서술형 탐구

자두 65개를 가영이와 석기가 6 : 7로 나누어 가지려고 합니다. 가영이와 석기는 자두를 각각 몇 개씩 가지게 되는지 풀이 과정을 쓰고 답을 구하시오. (4점)

서술 길라잡이 전체 ■■를 가 : 나＝● : ▲로 비례배분하기 ➡ 가 : ■×$\frac{●}{(●＋▲)}$, 나 : ■×$\frac{▲}{(●＋▲)}$

✏️ 가영 : $65 \times \frac{6}{(6+7)} = 65 \times \frac{6}{13} = 30$(개)   석기 : $65 \times \frac{7}{(6+7)} = 65 \times \frac{7}{13} = 35$(개)

따라서 자두를 가영이는 30개, 석기는 35개 가지게 됩니다.   **답** 가영 : 30개, 석기 : 35개

평가 기준	가영이가 가지게 되는 자두의 수를 바르게 구한 경우	2점	합 4점
	석기가 가지게 되는 자두의 수를 바르게 구한 경우	2점	

서술형 완성하기   빈칸을 채우며 서술형 풀이를 완성하고 답을 쓰시오.

1 영수와 지혜는 거리가 1800 m인 길의 양 끝에서 동시에 출발하여 서로 마주 보고 달리다가 만났습니다. 영수와 지혜의 빠르기의 비가 8 : 7이라면 영수와 지혜는 각각 몇 m씩 달렸는지 풀이 과정을 쓰고 답을 구하시오.

✏️ 영수 : $1800 \times \frac{\square}{(\square + \square)} = 1800 \times \square = \square$ (m)

지혜 : $1800 \times \frac{\square}{(\square + \square)} = 1800 \times \square = \square$ (m)

따라서 영수는 $\square$ m, 지혜는 $\square$ m를 달렸습니다.   **답** _____

2 한별이와 동민이는 길이가 140 cm인 철사를 2 : 3으로 나누어 가지려고 합니다. 한별이와 동민이가 가지게 되는 철사는 각각 몇 cm인지 풀이 과정을 쓰고 답을 구하시오.

✏️ 한별 : $140 \times \frac{\square}{(\square + \square)} = 140 \times \square = \square$ (cm)

동민 : $140 \times \frac{\square}{(\square + \square)} = 140 \times \square = \square$ (cm)

따라서 한별이는 $\square$ cm, 동민이는 $\square$ cm를 가지게 됩니다.

답 _____

1 도넛 40개를 각 모둠 학생 수의 비로 나누어 주려고 합니다. ㉮ 모둠은 4명, ㉯ 모둠은 6명이라고 할 때 ㉮ 모둠에는 도넛을 몇 개 주어야 하는지 풀이 과정을 쓰고 답을 구하시오. (5점)

답 

2 집에서 공원까지의 거리와 집에서 학교까지의 거리의 비는 8 : 6입니다. 공원에서 집을 지나 학교까지의 거리는 420 m입니다. 집에서 학교까지의 거리는 몇 m인지 풀이 과정을 쓰고 답을 구하시오. (5점)

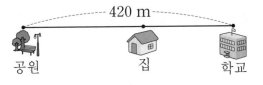

답 _____

3 5400원을 예슬이와 효근이가 $1\frac{2}{5} : 1\frac{3}{4}$ 으로 나누어 가지려고 합니다. 예슬이는 얼마를 가지게 되는지 풀이 과정을 쓰고 답을 구하시오. (5점)

답 _____

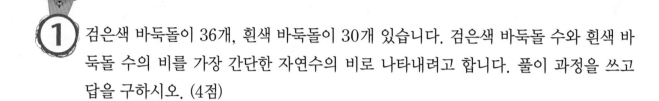

1 검은색 바둑돌이 36개, 흰색 바둑돌이 30개 있습니다. 검은색 바둑돌 수와 흰색 바둑돌 수의 비를 가장 간단한 자연수의 비로 나타내려고 합니다. 풀이 과정을 쓰고 답을 구하시오. (4점)

답 _____

2 가영이네 집에서는 쌀과 보리쌀을 7 : 4로 섞어서 밥을 짓는다고 합니다. 보리쌀을 100 g 넣으면 쌀은 몇 g 넣어야 하는지 풀이 과정을 쓰고 답을 구하시오. (5점)

답 _____

3 오른쪽 직사각형 ㉮와 삼각형 ㉯의 넓이의 비를 가장 간단한 자연수의 비로 나타내려고 합니다. 풀이 과정을 쓰고 답을 구하시오. (6점)

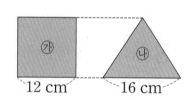

답 _____

4 오른쪽과 같이 서로 맞물려 돌아가는 두 톱니바퀴 ㉮, ㉯가 있습니다. ㉮의 톱니 수는 28개이고 ㉯의 톱니 수는 36개입니다. ㉮가 27번 도는 동안 ㉯는 몇 번 도는지 풀이 과정을 쓰고 답을 구하시오. (6점)

답 _____

5 원 ㉮와 원 ㉯가 오른쪽 그림과 같이 겹쳐져 있습니다. 겹쳐진 부분의 넓이는 ㉮의 넓이의 $\dfrac{4}{11}$이고, ㉯의 넓이의 $\dfrac{6}{13}$입니다. ㉮와 ㉯의 넓이의 비를 가장 간단한 자연수의 비로 나타내려고 합니다. 풀이 과정을 쓰고 답을 구하시오. (6점)

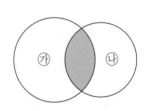

답 _____

6 어느 날 낮과 밤의 시간의 비가 $0.7 : \dfrac{1}{2}$이라고 합니다. 이 날의 밤은 몇 시간인지 풀이 과정을 쓰고 답을 구하시오. (5점)

답 _____

흥미로운 수학 이야기
맛있게 달걀 삶기

달걀을 맛있게 삶으려면 정확히 12분을 삶아야 합니다. 알람을 맞춰 놓으면 맛있는 삶은 달걀을 먹을 수 있겠네요. 그런데 항상 모든 준비물이 준비된다는 보장은 없는 법!
어느 날 예슬이가 달걀을 삶아 먹기 위해 시계를 찾았어요. 그런데 시계가 째깍째깍 가다가 멈추어 버렸네요. 다른 시계를 찾으려고 책상을 뒤적이다 서랍 속에서 6분짜리 모래시계와 9분짜리 모래시계를 발견했어요. 예슬이가 찾은 두 개의 모래시계를 사용하여 12분 동안 달걀을 삶으려면 어떻게 해야 할까요?

⭐ 차근차근 생각하기

두 모래시계를 동시에 뒤집어 놓고 6분짜리 모래시계의 모래가 다 떨어졌을 때 달걀을 삶기 시작합니다.
9분짜리 모래시계의 모래가 다 떨어졌을 때는 달걀을 삶기 시작한지 3분 후가 됩니다.
9분짜리 모래시계를 다시 뒤집은 후 9분짜리 모래시계의 모래가 다 떨어지면 3+9=12(분)이 되므로 이때 달걀을 꺼내면 됩니다.

5 원의 넓이

한별이가 지름이 75 cm인 굴렁쇠를 몇 바퀴 굴렸더니 9 m 42 cm 앞으로 나아갔습니다. 한별이가 굴렁쇠를 몇 바퀴 굴렸는지 2가지 방법으로 구하시오. (원주율 : 3.14) (6점)

서술 길라잡이 굴렁쇠는 원 모양이고 (원주)＝(지름)×(원주율)입니다.

[방법 1] $942 \div (75 \times 3.14) = 4$

[방법 2] $942 - (75 \times 3.14) - (75 \times 3.14) - (75 \times 3.14) - (75 \times 3.14) = 0$ ➡ 4바퀴

답 _____4바퀴_____

평가기준	굴렁쇠를 굴린 바퀴 수를 바르게 구한 경우	각 3점	합 6점

서술형 완성하기 빈칸을 채우며 서술형 풀이를 완성하고 답을 구하시오.

1 웅이는 지름이 60 cm인 굴렁쇠를 가지고 집에서 학교까지 거리가 얼마인지 알아보려고 합니다. 굴렁쇠가 150바퀴 돌았다면 집에서 학교까지의 거리는 몇 m인지 풀이 과정을 쓰고 답을 구하시오. (원주율 : 3.1)

(굴렁쇠의 원주)＝ ☐ ×3.1＝ ☐ (cm)

(집에서 학교까지의 거리)＝ ☐ × ☐ ＝ ☐ (cm)

➡ ☐ m

답 _____

2 효근이는 운동삼아 자전거를 탔습니다. 반지름이 35 cm인 자전거의 바퀴가 100번 돌았다면 효근이가 자전거를 탄 거리는 몇 m 몇 cm인지 풀이 과정을 쓰고 답을 구하시오.

(원주율 : 3.14)

(자전거 바퀴의 원주)＝ ☐ ×2×3.14＝ ☐ (cm)

(효근이가 자전거를 탄 거리)＝ ☐ × ☐ ＝ ☐ (cm)

＝ ☐ m ☐ cm

답 _____

1 지름이 2.6 cm인 500원짜리 동전을 굴렸더니 동전이 움직인 거리가 40.82cm였습니다. 동전을 몇 바퀴 굴렸는지 2가지 방법으로 구하시오. (원주율 : 3.14) (6점)

   [방법 1]

   [방법 2]

 답 _____

2 지름이 2.4 cm인 100원짜리 동전을 200바퀴 굴렸다면 동전이 굴러간 거리는 몇 m 몇 cm인지 풀이 과정을 쓰고 답을 구하시오. (원주율 : 3) (6점)

 답 _____

3 동민이가 냄비 뚜껑을 떨어뜨려 뚜껑이 10바퀴 굴러가서 멈췄습니다. 냄비 뚜껑의 반지름이 7 cm라고 할 때 뚜껑이 굴러간 거리는 몇 cm인지 풀이 과정을 쓰고 답을 구하시오. (원주율 : $3\frac{1}{7}$) (6점)

답 _____

오른쪽 그림과 같이 정사각형 안에 정사각형의 한 변의 길이를 지름으로 하는 반원을 그렸습니다. 색칠한 부분의 둘레의 길이는 몇 cm인지 풀이 과정을 쓰고 답을 구하시오. (원주율 : 3.14) (5점)

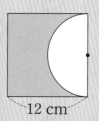

12 cm

서술 길라잡이 정사각형의 한 변의 길이와 반원의 둘레를 생각하여 색칠한 도형의 둘레의 길이를 구합니다.

✏️ (색칠한 부분의 둘레의 길이)

  =(정사각형의 한 변의 길이)×3＋(지름이 12 cm인 원의 원주)÷2

  =12×3＋12×3.14÷2＝36＋18.84＝54.84(cm)

답 54.84 cm

평가 기준	색칠한 부분의 둘레의 길이를 구할 수 있는 식을 바르게 나타낸 경우	3점	합 5점
	답을 바르게 구한 경우	2점	

서술형 완성하기 빈칸을 채우며 서술형 풀이를 완성하고 답을 구하시오.

1 오른쪽 도형을 보고 색칠한 부분의 둘레의 길이는 몇 cm인지 풀이 과정을 쓰고 답을 구하시오. (원주율 : 3.14)

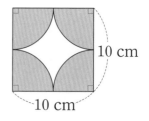

10 cm

10 cm

🏷️ (색칠한 부분의 둘레의 길이)

  =(정사각형의 한 변의 길이)×4＋(지름이 10 cm인 원의 원주)

  =☐×4＋☐×3.14＝☐＋☐＝☐(cm)

답

2 오른쪽 도형에서 가장 작은 반원의 지름은 가장 큰 원의 반지름의 $\frac{1}{2}$입니다. 색칠한 부분의 둘레의 길이는 몇 cm인지 풀이 과정을 쓰고 답을 구하시오. (원주율 : 3)

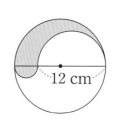

12 cm

✏️ (색칠한 부분의 둘레의 길이)

  ＝{(가장 작은 원의 원주)÷2}＋{(두 번째로 작은 원의 원주)÷2}

    ＋{(가장 큰 원의 원주)÷2}

  ＝☐×3÷2＋☐×3÷2＋☐×3÷2

  ＝(☐＋☐＋☐)×3÷2＝☐(cm)

답

1 오른쪽 도형을 보고 색칠한 부분의 둘레의 길이는 몇 cm인지 풀이 과정을 쓰고 답을 구하시오. (원주율 : 3.1) (5점)

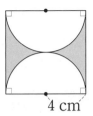

4 cm

답 _____

2 오른쪽 도형을 보고 색칠한 부분의 둘레의 길이는 몇 cm인지 풀이 과정을 쓰고 답을 구하시오. (원주율 : 3.14) (5점)

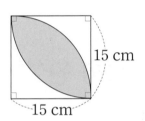

15 cm
15 cm

답 _____

3 오른쪽 도형에서 가장 작은 반원의 지름은 가장 큰 원의 지름의 $\frac{1}{3}$ 입니다. 색칠한 부분의 둘레의 길이는 몇 cm인지 풀이 과정을 쓰고 답을 구하시오. (원주율 : 3) (6점)

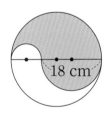

18 cm

답 _____

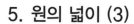

오른쪽 그림과 같이 한 변의 길이가 6 cm인 정사각형 안에 가장 큰 원을 그렸습니다. 색칠한 부분의 넓이는 몇 cm²인지 풀이 과정을 쓰고 답을 구하시오. (원주율 : 3.14) (5점)

서술 길라잡이 색칠한 부분의 넓이는 정사각형의 넓이에서 원의 넓이를 빼서 구합니다.

6 cm

(색칠한 부분의 넓이)

=(정사각형의 넓이)−(반지름이 3 cm인 원의 넓이)

$=6×6−3×3×3.14=36−28.26=7.74(cm^2)$

답 _7.74 cm²_

평가 기준	색칠한 부분의 넓이를 구할 수 있는 식을 바르게 나타낸 경우	3점	합 5점
	답을 바르게 구한 경우	2점	

서술형 완성하기
빈칸을 채우며 서술형 풀이를 완성하고 답을 구하시오.

1 오른쪽 그림과 같이 가로의 길이가 24 cm, 세로의 길이가 8 cm인 직사각형 안에 크기가 같은 3개의 원이 들어 있습니다. 색칠한 부분의 넓이는 몇 cm²인지 풀이 과정을 쓰고 답을 구하시오. (원주율 : 3.1)

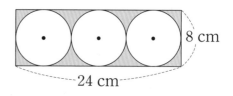

8 cm

24 cm

(색칠한 부분의 넓이)

=(직사각형의 넓이)−(반지름이 4 cm인 원의 넓이)×3

$=\boxed{}×8−\boxed{}×\boxed{}×3.1×\boxed{}$

$=\boxed{}−\boxed{}=\boxed{}(cm^2)$

답 _____

2 오른쪽 도형에서 가장 작은 반원의 지름은 가장 큰 반원의 지름의 $\frac{1}{4}$입니다. 색칠한 부분의 넓이는 몇 cm²인지 풀이 과정을 쓰고 답을 구하시오. (원주율 : 3.14)

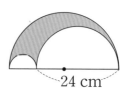

24 cm

(색칠한 부분의 넓이)

=(가장 큰 반원의 넓이)−(가장 작은 반원의 넓이)−(두 번째로 작은 반원의 넓이)

$=\boxed{}×\boxed{}×3.14÷2−\boxed{}×\boxed{}×3.14÷2−\boxed{}×\boxed{}×3.14÷2$

$=(\boxed{}−\boxed{}−\boxed{})×3.14÷2=\boxed{}(cm^2)$

답 _____

1 오른쪽 도형에서 색칠한 부분의 넓이는 몇 cm²인지 풀이 과정을 쓰고 답을 구하시오. (원주율 : 3.1) (5점)

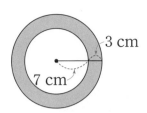

답 _____

2 오른쪽 그림과 같이 한 변의 길이가 24 cm인 정사각형 안에 크기가 같은 4개의 원이 들어 있습니다. 색칠한 부분의 넓이는 몇 cm²인지 풀이 과정을 쓰고 답을 구하시오. (원주율 : 3.14) (5점)

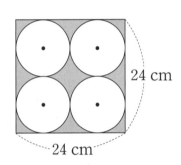

답 _____

3 오른쪽 도형에서 가장 작은 반원의 지름은 가장 큰 반원의 반지름의 $\frac{1}{2}$입니다. 색칠한 부분의 넓이는 몇 cm²인지 풀이 과정을 쓰고 답을 구하시오. (원주율 : 3) (6점)

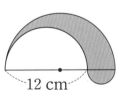

답 _____

서술형 탐구

오른쪽 원 안의 마름모의 넓이와 원 밖의 정사각형의 넓이를 구하여 원의 넓이가 약 몇 cm²인지 어림하려고 합니다. 풀이 과정을 쓰고 답을 구하시오. (6점)

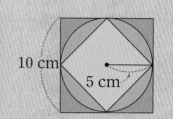

> **서술 길라잡이** 원의 넓이는 원 안의 마름모의 넓이보다 크고, 원 밖의 정사각형의 넓이보다 작습니다.

✎ (마름모의 넓이)$=10 \times 10 \div 2 = 50(\text{cm}^2)$ (정사각형의 넓이)$=10 \times 10 = 100(\text{cm}^2)$

따라서 원의 넓이는 $50\,\text{cm}^2 <$ (원의 넓이) $< 100\,\text{cm}^2$이므로 약 $75\,\text{cm}^2$로 어림할 수 있습니다.

평가 기준		
마름모의 넓이를 바르게 구한 경우	2점	합 6점
정사각형의 넓이를 바르게 구한 경우	2점	
원의 넓이를 바르게 어림한 경우	2점	

답 ___약 $75\,\text{cm}^2$___

서술형 완성하기 빈칸을 채우며 서술형 풀이를 완성하고 답을 구하시오.

1 오른쪽 원 안의 마름모의 넓이와 원 밖의 정사각형의 넓이를 구하여 원의 넓이가 약 몇 cm²인지 어림하려고 합니다. 풀이 과정을 쓰고 답을 구하시오.

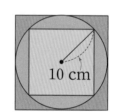

✎ (마름모의 넓이)$=$ ☐ $\times$ ☐ $\div 2 =$ ☐ (cm^2)

(정사각형의 넓이)$=$ ☐ $\times$ ☐ $=$ ☐ (cm^2)

따라서 원의 넓이는 ☐ $\text{cm}^2 <$ (원의 넓이) $<$ ☐ cm^2이므로 약 ☐ cm^2로 어림할 수 있습니다.

답 _____

2 오른쪽 도형에서 삼각형 ㄴㅇㄹ의 넓이는 20 cm²이고 삼각형 ㄱㅇㄷ의 넓이는 27 cm²입니다. 정육각형의 넓이를 이용하여 원의 넓이가 약 몇 cm²인지 어림하려고 합니다. 풀이 과정을 쓰고 답을 구하시오.

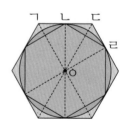

✎ (원 안의 정육각형의 넓이)$=20 \times$ ☐ $=$ ☐ (cm^2)

(원 밖의 정육각형의 넓이)$=$ ☐ $\times$ ☐ $=$ ☐ (cm^2)

따라서 원의 넓이는 ☐ $\text{cm}^2 <$ (원의 넓이) $<$ ☐ cm^2이므로 약 ☐ cm^2로 어림할 수 있습니다.

답 _____

1 오른쪽 원 안의 마름모의 넓이와 원 밖의 정사각형의 넓이를 구하여 원의 넓이가 약 몇 cm²인지 어림하려고 합니다. 풀이 과정을 쓰고 답을 구하시오. (6점)

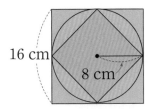

16 cm

8 cm

답 _____

2 오른쪽 원 안의 마름모의 넓이와 원 밖의 정사각형의 넓이를 구하여 원의 넓이가 약 몇 cm²인지 어림하려고 합니다. 풀이 과정을 쓰고 답을 구하시오. (6점)

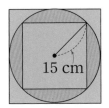

15 cm

답 _____

3 오른쪽 도형에서 삼각형 ㄴㅇㄹ의 넓이는 40 cm²이고 삼각형 ㄱㅇㄷ의 넓이는 54 cm²입니다. 정육각형의 넓이를 이용하여 원의 넓이가 약 몇 cm²인지 어림하려고 합니다. 풀이 과정을 쓰고 답을 구하시오. (6점)

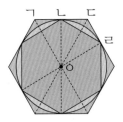

ㄱ ㄴ ㄷ
ㄹ
ㅇ

답 _____

서술형 탐구

한초는 원 모양의 와플을 사려고 합니다. 700원짜리 딸기 와플은 반지름이 6 cm이고, 900 원짜리 초코 와플은 반지름이 8 cm입니다. 와플의 두께가 같다고 할 때, 어떤 와플이 더 저렴한지 설명해 보시오. (원주율 : 3.14) (6점)

> **서술 길라잡이** 두 와플의 넓이를 구한 다음 1 cm²당 가격을 비교해 봅니다.

✎ (딸기 와플의 넓이)=6×6×3.14=113.04(cm²)

(초코 와플의 넓이)=8×8×3.14=200.96(cm²)

➡ (딸기 와플의 1 cm²당 가격)=700÷113.04=6.1…(원)

(초코 와플의 1 cm²당 가격)=900÷200.96=4.4…(원)

따라서 초코 와플이 더 저렴합니다.

답   초코 와플

평가기준			합 6점
	두 와플의 넓이를 바르게 구한 경우	3점	
	두 와플의 1 cm²당 가격을 바르게 구한 경우	2점	
	더 저렴한 와플을 바르게 쓴 경우	1점	

서술형 완성하기   빈칸을 채우며 서술형 풀이를 완성하고 답을 구하시오.

1 500원짜리 **가** 접시는 지름이 10 cm이고, 600원짜리 **나** 접시는 지름이 14 cm입니 다. 접시의 두께가 같다고 할 때, 어떤 접시가 더 저렴한지 설명해 보시오.

(원주율 : 3.14)

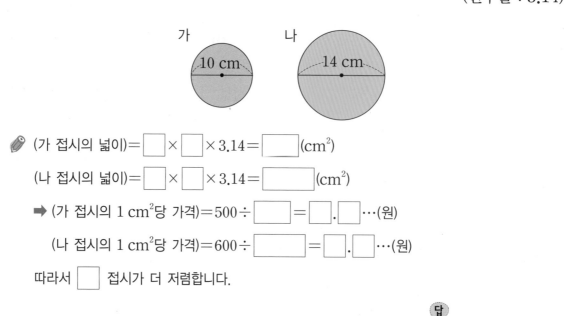

✎ (가 접시의 넓이)=☐×☐×3.14=☐(cm²)

(나 접시의 넓이)=☐×☐×3.14=☐(cm²)

➡ (가 접시의 1 cm²당 가격)=500÷☐=☐.☐…(원)

(나 접시의 1 cm²당 가격)=600÷☐=☐.☐…(원)

따라서 ☐ 접시가 더 저렴합니다.

답

1 승우는 호떡을 사려고 합니다. 800원짜리 꿀맛 호떡은 반지름이 7 cm이고, 1000원짜리 단맛 호떡은 반지름이 9 cm입니다. 호떡의 두께가 같다고 할 때, 어떤 호떡을 사는 것이 더 실속 있는지 설명해 보시오. (원주율 : 3) (6점)

답 _____

2 2500원짜리 가 접시는 지름이 16 cm이고, 4000원짜리 나 접시는 지름이 20 cm입니다. 접시의 두께가 같다고 할 때, 어떤 접시를 사는 것이 더 실속 있는지 설명해 보시오.

(원주율 : 3) (6점)

가   나

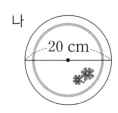

답 _____

3 가영이는 시장에 가서 빈대떡을 사려고 합니다. 지름이 24 cm인 가 빈대떡은 7000원이고, 지름이 26 cm인 나 빈대떡은 8000원입니다. 빈대떡의 두께가 같다고 할 때, 어떤 빈대떡을 사는 것이 더 실속있는지 설명해 보시오. (원주율 : 3) (6점)

답 _____

1 영수는 놀이터에서 집까지 지름이 65 cm인 훌라후프를 굴리면서 갔습니다. 훌라후프를 200바퀴 굴려서 집에 도착했다면 훌라후프가 굴러간 거리는 몇 m인지 풀이 과정을 쓰고 답을 구하시오. (원주율 : 3.1) (6점)

답 _____

2 오른쪽 도형을 보고 색칠한 부분의 둘레의 길이는 몇 cm인지 풀이 과정을 쓰고 답을 구하시오.

(원주율 : 3.14) (6점)

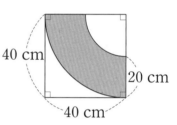

40 cm
20 cm
40 cm

답 _____

3 오른쪽 도형에서 색칠한 부분의 넓이는 몇 cm²인지 풀이 과정을 쓰고 답을 구하시오. (원주율 : 3.1) (6점)

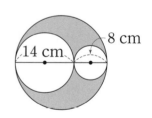

14 cm
8 cm

답 _____

4 오른쪽 도형에서 삼각형 ㄴㅇㄹ의 넓이는 35 cm²이고 삼각형 ㄱㅇㄷ의 넓이는 47 cm²입니다. 정육각형의 넓이를 이용하여 원의 넓이가 약 몇 cm²인지 어림하려고 합니다. 풀이 과정을 쓰고 답을 구하시오. (6점)

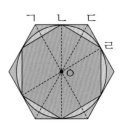

답 _____

5 한별이네 가족은 피자를 주문하려고 합니다. 16000원짜리 고구마 피자는 지름이 22 cm이고, 26000원짜리 불고기 피자는 지름이 30 cm입니다. 피자의 두께가 같다고 할 때, 어떤 피자를 주문하는 것이 더 실속 있는지 설명해 보시오.

(원주율 : 3) (6점)

답 _____

6 위 **5**의 피자가게에서 한별이네 반 친구들이 95000원으로 피자를 주문하려고 합니다. 어떻게 주문해야 가장 많은 양의 피자를 먹을 수 있는지 설명해 보시오. (6점)

흥미로운 수학 이야기

자리 바꾸기

동민이네 반은 모둠끼리 모여 앉고, 일정한 규칙에 따라 모둠끼리 매일 자리를 바꿉니다.
처음에 사랑 모둠, 믿음 모둠, 소망 모둠, 성실 모둠은 그림과 같이 1, 2, 3, 4의 위치에 앉아 있었습니다. 첫째 날은 위와 아래 두 줄을 바꾸고, 둘째 날은 왼쪽과 오른쪽 두 줄을 바꾸고, 셋째 날은 다시 위와 아래 두 줄을 바꾸고, 넷째 날은 다시 왼쪽과 오른쪽 두 줄을 바꿉니다. 이런 규칙으로 자리를 계속 바꾼다면, 자리를 바꾸기 시작한지 50일째 되는 날 소망 모둠은 몇 번 자리에 앉을까요?

소망 모둠의 자리 변화의 규칙을 찾아봅니다.
처음 소망 모둠은 3번 자리에 앉아 있고 첫째 날 1번 위치로, 둘째 날에는 2번 위치로, 셋째 날에는 4번 위치로, 넷째 날에는 3번 위치로 자리를 옮깁니다.
그러므로 4일에 한 번씩 자리가 반복된다는 것을 알 수 있습니다.
따라서 $50 = 4 \times 12 + 2$이므로 50일째 되는 날 소망 모둠의 위치는 둘째 날과 같은 2번 위치에 있게 됩니다.

6 원기둥, 원뿔, 구

원기둥이 <u>아닌</u> 것을 찾아 기호를 쓰고, 그 이유를 설명하시오. (4점)

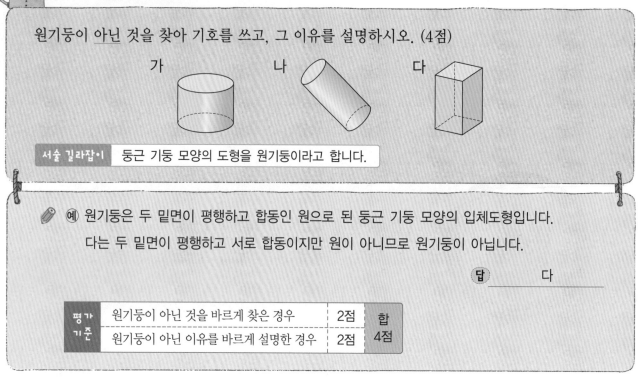

가 　　　　　 나 　　　　　 다

서술 길라잡이 둥근 기둥 모양의 도형을 원기둥이라고 합니다.

✏️ 예 원기둥은 두 밑면이 평행하고 합동인 원으로 된 둥근 기둥 모양의 입체도형입니다.

다는 두 밑면이 평행하고 서로 합동이지만 원이 아니므로 원기둥이 아닙니다.

답 　　　　 다

평가기준	원기둥이 아닌 것을 바르게 찾은 경우	2점	합 4점
	원기둥이 아닌 이유를 바르게 설명한 경우	2점	

서술형 완성하기 빈칸을 채우며 서술형 풀이를 완성하시오.

1 원기둥과 각기둥의 공통점을 설명하시오.

✏️ 예 • 밑면이 ☐ 개입니다.

• 두 밑면은 서로 평행하고 ☐ 입니다.

2 원기둥과 각기둥의 차이점을 설명하시오.

✏️ 예 • 원기둥의 밑면은 ☐ 이고 각기둥의 밑면은 ☐ 입니다.

• 원기둥의 옆면은 ☐ 이고 각기둥의 옆면은 ☐ 입니다.

1 오른쪽 입체도형은 원기둥이 아닙니다. 그 이유를 설명하시오. (4점)

2 오른쪽 입체도형은 원기둥이 아닙니다. 그 이유를 설명하시오. (4점)

3 원기둥에 대한 설명입니다. <u>잘못된</u> 것을 찾아 기호를 쓰고, 바르게 고쳐 설명해 보시오. (4점)

> ㉠ 두 밑면은 합동인 원입니다.
>
> ㉡ 두 밑면은 서로 평행합니다.
>
> ㉢ 옆면은 굽은 면으로 둘러싸여 있습니다.
>
> ㉣ 높이는 재는 곳에 따라 길이가 다릅니다.

답

오른쪽 그림은 원기둥의 전개도가 아닙니다. 그 이유를 설명하시오.

(4점)

> **서술 길라잡이** 원기둥을 펼쳐 놓은 그림을 원기둥의 전개도라고 합니다.

✏️ ⟨예⟩ 원기둥의 전개도에서 두 밑면은 양쪽에 각각 한 개씩 있어야 하는데 같은 쪽에 있으므로 원기둥의 전개도가 아닙니다.

평가 기준	원기둥의 전개도가 아닌 이유를 바르게 설명한 경우	4점

서술형 완성하기 빈칸을 채우며 서술형 풀이를 완성하시오.

1 오른쪽 원기둥의 전개도에서 선분 ㄱㄴ의 길이는 원기둥의 무엇과 길이가 같은지 설명해 보시오.

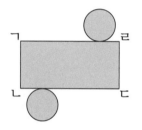

✏️ 원기둥의 전개도에서 선분 ㄱㄴ은 전개도를 접었을 때 만들어지는 원기둥의 두 밑면에 ☐ 인 선분이므로 선분 ㄱㄴ의 길이는 원기둥의 ☐ 와 길이가 같습니다.

2 오른쪽 원기둥의 전개도에서 원기둥의 밑면의 둘레와 길이가 같은 선분을 모두 찾아 쓰고, 그 이유를 설명하시오.

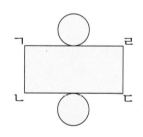

✏️ 원기둥의 밑면의 둘레와 길이가 같은 선분은 선분 ☐ , 선분 ☐ 입니다. 원기둥의 전개도에서 원 2개는 전개도를 접었을 때 만들어지는 원기둥의 두 ☐ 이고 전개도를 접었을 때 원의 둘레와 직사각형의 ☐ 의 길이가 같기 때문입니다.

1 오른쪽 그림은 원기둥의 전개도가 아닙니다. 그 이유를 설명하 시오. (4점)

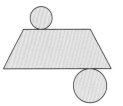

2 원기둥의 전개도에 대한 설명입니다. 잘못된 것을 모두 찾아 기호를 쓰고, 바르게 고쳐 설명해 보시오. (4점)

> ㉠ 두 밑면은 합동인 원입니다.
> ㉡ 옆면은 직사각형입니다.
> ㉢ 밑면의 둘레는 전개도에서 옆면의 세로와 길이가 같습니다.
> ㉣ 원기둥의 높이는 전개도에서 밑면의 지름과 길이가 같습니다.

답 _____

3 원기둥의 전개도에서 직사각형의 가로와 세로의 길이의 차를 구하려고 합니다. 풀이 과정을 쓰고 답을 구하시오. (원주율 : 3.14) (5점)

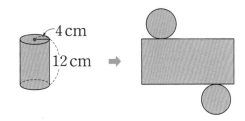

답 _____

서술형 탐구

오른쪽 전개도를 접어서 만들 수 있는 원기둥의 옆면의 넓이가 113.04 cm²일 때 밑면의 반지름은 몇 cm인지 풀이 과정을 쓰고 답을 구하시오. (원주율 : 3.14) (4점)

6cm

서술 길라잡이 원기둥의 옆면의 넓이는 전개도에서 직사각형의 넓이와 같고, 밑면인 원의 둘레는 직사각형의 가로와 같습니다.

✏ (직사각형의 가로)＝113.04÷6＝18.84(cm)

(밑면의 지름)＝18.84÷3.14＝6(cm)

따라서 밑면의 반지름은 6÷2＝3(cm)입니다.

답 3 cm

평가기준	전개도에서 직사각형의 가로를 바르게 구한 경우	2점	합 4점
	밑면의 반지름을 바르게 구한 경우	2점	

서술형 완성하기

빈칸을 채우며 서술형 풀이를 완성하고 답을 쓰시오.

1 오른쪽 전개도를 접어서 만들 수 있는 원기둥의 옆면의 넓이가 175.84 cm²일 때 밑면의 반지름은 몇 cm인지 풀이 과정을 쓰고 답을 구하시오. (원주율 : 3.14)

7cm

✏ (직사각형의 가로)＝□÷□＝□(cm)

(밑면의 지름)＝□÷3.14＝□(cm)

따라서 밑면의 반지름은 □÷2＝□(cm)입니다.

답

2 오른쪽 원기둥의 옆면의 넓이가 279 cm²일 때 밑면의 반지름은 몇 cm인지 풀이 과정을 쓰고 답을 구하시오. (원주율 : 3.1)

9cm

✏ (밑면의 둘레)＝□÷□＝□(cm)

(밑면의 지름)＝□÷3.1＝□(cm)

따라서 밑면의 반지름은 □÷2＝□(cm)입니다.

답

1 오른쪽 원기둥의 옆면의 넓이는 376.8 cm²입니다. 이 원기둥의 높이는 몇 cm인지 풀이 과정을 쓰고 답을 구하시오. (원주율 : 3.14) (4점)

답 _____

2 오른쪽 원기둥의 옆면의 넓이는 595.2 cm²입니다. 이 원기둥의 높이는 몇 cm인지 풀이 과정을 쓰고 답을 구하시오. (원주율 : 3.1) (4점)

답 _____

3 오른쪽 원기둥의 옆면의 넓이는 630 cm²입니다. 이 원기둥의 높이는 몇 cm인지 풀이 과정을 쓰고 답을 구하시오. (원주율 : 3)
(4점)

답 _____

원뿔이 아닌 것을 찾아 기호를 쓰고, 그 이유를 설명하시오. (4점)

가   나   다

서술 길라잡이 둥근 뿔 모양의 도형을 원뿔이라고 합니다.

✏️ 예 원뿔은 밑면이 원이고 옆면이 굽은 면인 뿔 모양의 입체도형입니다.

나는 밑면이 원이고 옆면이 굽은 면이지만 밑면이 두 개이고 뿔 모양이 아니므로 원뿔이 아닙니다.

답 _____나_____

평가기준	원뿔이 아닌 것을 바르게 찾은 경우	2점	합 4점
	원뿔이 아닌 이유를 바르게 설명한 경우	2점	

서술형 완성하기 빈칸을 채우며 서술형 풀이를 완성하시오.

1 원뿔과 각뿔의 공통점을 설명하시오.

✏️ 예 ・밑면이 [   ]개입니다.

・뿔 모양에서 볼 수 있는 뾰족한 점인 원뿔의 [   ]과 각뿔의 [   ]이 있습니다.

2 원뿔과 각뿔의 차이점을 설명하시오.

✏️ 예 ・원뿔의 밑면은 [   ]이고 각뿔의 밑면은 [   ]입니다.

・원뿔의 옆면은 [   ]이고 각뿔의 옆면은 [   ]입니다.

1 오른쪽 입체도형은 원뿔입니까? 그렇게 생각한 이유를 설명하시오.
(4점)

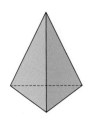

2 오른쪽 입체도형은 원뿔입니까? 그렇게 생각한 이유를 설명하시오. (4점)

3 원뿔에 대한 설명입니다. 잘못된 것을 찾아 기호를 쓰고, 바르게 고쳐 설명하시오.
(4점)

┌───┐
│ ㉠ 원뿔에서 옆을 둘러싼 면을 옆면이라고 합니다.   │
│ ㉡ 옆면은 굽은 면으로 둘러싸여 있습니다.   │
│ ㉢ 뾰족한 점을 꼭짓점, 평평한 면을 밑면이라고 합니다.   │
│ ㉣ 원뿔의 꼭짓점과 밑면인 원의 둘레의 한 점을 잇는 선분을 높이라고 합니다. │
└───┘

답 _____

두 입체도형의 높이의 합은 몇 cm인지 풀이 과정을 쓰고 답을 구하시오. (4점)

5 cm
7 cm

4 cm　5 cm
3 cm

서술 길라잡이 ┃ 원기둥의 높이와 원뿔의 높이를 각각 구해 봅니다.

✎ 원기둥의 높이는 두 밑면에 수직인 선분의 길이이므로 7 cm이고, 원뿔의 높이는 원뿔의 꼭짓점에서 밑면에 수직인 선분의 길이이므로 4 cm입니다.

따라서 두 입체도형의 높이의 합은 7+4=11(cm)입니다.　　답　11 cm

평가기준	원기둥과 원뿔의 높이를 각각 바르게 구한 경우	2점	합 4점
	답을 바르게 구한 경우	2점	

서술형 완성하기　빈칸을 채우며 서술형 풀이를 완성하고 답을 쓰시오.

1 두 입체도형의 높이의 차는 몇 cm인지 풀이 과정을 쓰고 답을 구하시오.

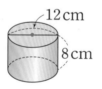　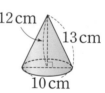

12 cm
8 cm

12 cm　13 cm
10 cm

✎ 원기둥의 높이는 두 밑면에 수직인 선분의 길이이므로 ☐ cm이고, 원뿔의 높이는 원뿔의

꼭짓점에서 밑면에 수직인 선분의 길이이므로 ☐ cm입니다.

따라서 두 입체도형의 높이의 차는 ☐ - ☐ = ☐ (cm)입니다.　답

2 원기둥과 원뿔 중 어느 입체도형의 높이가 몇 cm 더 높은지 풀이 과정을 쓰고 답을 구하시오.

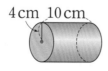　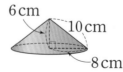

4 cm 10 cm

6 cm　10 cm
8 cm

✎ 원기둥의 높이는 두 밑면에 수직인 선분의 길이이므로 ☐ cm이고, 원뿔의 높이는 원뿔의

꼭짓점에서 밑면에 수직인 선분의 길이이므로 ☐ cm입니다.

따라서 ☐ 의 높이가 ☐ - ☐ = ☐ (cm) 더 높습니다.　답

1 두 입체도형의 높이의 합은 몇 cm인지 풀이 과정을 쓰고 답을 구하시오. (4점)

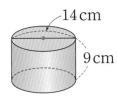
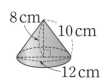

답 _____

2 두 입체도형의 높이의 차는 몇 cm인지 풀이 과정을 쓰고 답을 구하시오. (4점)

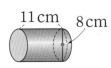
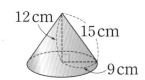

답 _____

3 원기둥과 원뿔 중 어느 입체도형의 높이가 몇 cm 더 높은지 풀이 과정을 쓰고 답을 구하시오. (4점)

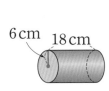
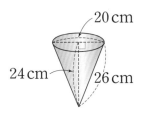

답 _____

 ① 오른쪽 입체도형은 원기둥이 아닙니다. 그 이유를 설명하시오. (4점)

② 오른쪽 그림은 원기둥의 전개도가 아닙니다. 그 이유를 설명하시오. (4점)

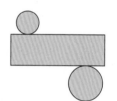

③ 오른쪽 원기둥의 전개도를 그릴 때, 옆면의 넓이는 몇 cm²인지 풀이 과정을 쓰고 답을 구하시오. (원주율 : 3.14) (4점)

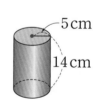

5 cm
14 cm

답 _____

④ 오른쪽 원기둥의 옆면의 넓이는 803.84 cm²입니다. 이 원기둥의 높이는 몇 cm인지 풀이 과정을 쓰고 답을 구하시오.

(원주율 : 3.14) (4점)

답 _____

⑤ 원기둥과 원뿔의 공통점과 차이점을 각각 2가지씩 설명하시오. (4점)

공통점	
차이점	

⑥ 두 입체도형의 높이의 합은 몇 cm인지 풀이 과정을 쓰고, 답을 구하시오. (4점)

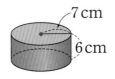
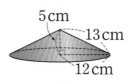

답

흥미로운 수학 이야기
왜 국기는 모두 직사각형일까요?

여러 가지 도형 중에서 사람의 눈에 가장 아름답게 보이는 도형은 직사각형이래요. 그중에서도 세로와 가로의 비가 1 : 1.618인 직사각형이 가장 아름답다고 하여 예로부터 이 비율을 황금비라고 불렀어요. 그러나 세로와 가로의 비가 황금비인 1 : 1.618인 직사각형을 그리기가 어렵기 때문에 세로와 가로의 비가 2 : 3 또는 3 : 5인 직사각형을 많이 사용하고 있어요.

네팔의 국기를 제외한 모든 나라의 국기 모양은 직사각형 또는 정사각형이에요. 일반적으로는 세로와 가로의 비가 2 : 3인 나라가 가장 많은데 대한민국, 일본, 프랑스, 이탈리아, 네덜란드, 그리스, 멕시코, 남아프리카공화국 등이 그렇고, 세로와 가로의 비가 1 : 2인 나라로는 이라크, 영국, 아일랜드, 페루, 아르헨티나, 오스트리아, 뉴질랜드, 북한 등이 있어요.

이 밖에 스웨덴, 폴란드, 튀니지는 세로와 가로의 비가 5 : 8이고 필리핀은 5 : 9, 미국은 10 : 19, 벨기에는 2.6 : 3, 노르웨이는 8 : 11, 덴마크는 7 : 8.5, 핀란드는 11 : 18, 엘살바도르와 우르과이는 3 : 5, 룩셈부르크와 리히텐슈타인은 4 : 5, 이란은 1 : 3이랍니다.

그러나 각 국의 국기를 한 군데에 나타낼 때는 각 국의 규정 비율을 존중하기가 쉽지 않아요. 그래서 편의상 한 가지로 나타내는 경우가 많은데 이러한 이유로 세계지도나 만국기에 그려진 각 국의 국기들은 모두 세로와 가로의 비가 2 : 3인 직사각형으로 그린 것이랍니다.

6 학년이 꼭✓····· 알아야 한

수학 서술형

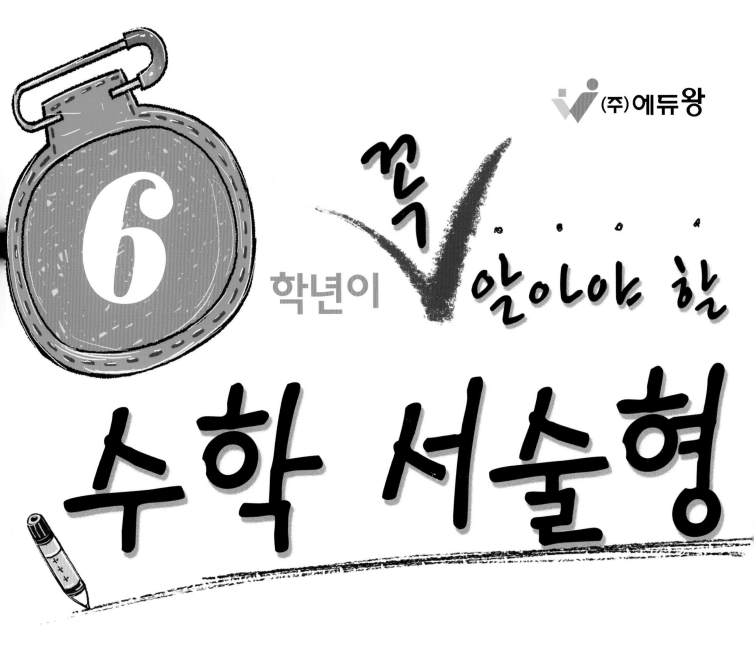

6 학년이 꼭 ✓ 알아야 한

수학 서술형

정답과 풀이

(주)에듀왕

(주)에듀왕
www.eduwang.com

정답과 풀이

1 분수의 나눗셈

1. 분수의 나눗셈 (1)

서술형 완성하기   p. 4

1 15, $1\frac{7}{8}$, 15, $1\frac{7}{8}$ **답** $1\frac{7}{8}$

2 28, $2\frac{6}{11}$, 28, $2\frac{6}{11}$, 28, $2\frac{6}{11}$ **답** $2\frac{6}{11}$

서술형 정복하기   p. 5

1

$\frac{12}{19}$ 는 $\frac{1}{19}$ 이 12개이고, $\frac{5}{19}$ 는 $\frac{1}{19}$ 이 5개입니다.

$\frac{12}{19} \div \frac{5}{19}$ 는 $12 \div 5$ 로 바꾸어 계산해도 되므로 $\frac{12}{19} \div \frac{5}{19} = 12 \div 5 = \frac{12}{5} = 2\frac{2}{5}$ 입니다.

답 $2\frac{2}{5}$

평가 기준	나눗셈식을 계산하는 과정을 바르게 쓴 경우	3점	합 5점
	나눗셈식의 답을 바르게 구한 경우	2점	

2

[방법 1] $\frac{9}{10} \div \frac{7}{8} = \frac{36}{40} \div \frac{35}{40} = \frac{36}{35}$
$= 1\frac{1}{35}$

[방법 2] $\frac{9}{10} \div \frac{7}{8} = \frac{9}{\underset{5}{10}} \times \frac{\overset{4}{8}}{7} = \frac{36}{35}$
$= 1\frac{1}{35}$

답 $1\frac{1}{35}$

평가 기준	분모를 통분하여 계산하는 방법으로 바르게 계산한 경우	3점	합 6점
	분수의 곱셈으로 바꾸어 계산하는 방법으로 바르게 계산한 경우	3점	

3

[방법 1] $7\frac{1}{12} \div 6\frac{1}{9} = \frac{85}{12} \div \frac{55}{9}$
$= \frac{255}{36} \div \frac{220}{36}$
$= \frac{255}{220} = \frac{51}{44} = 1\frac{7}{44}$

[방법 2] $7\frac{1}{12} \div 6\frac{1}{9} = \frac{85}{12} \div \frac{55}{9}$
$= \frac{\overset{17}{85}}{\underset{4}{12}} \times \frac{\overset{3}{9}}{\underset{11}{55}}$
$= \frac{51}{44} = 1\frac{7}{44}$

답 $1\frac{7}{44}$

평가 기준	알맞은 2가지 방법을 선택하여 바르 게 계산한 경우	각 3점	합 6점

1. 분수의 나눗셈 (2)

서술형 완성하기   p. 6

1 2, 4, 4 **답** 4개

2 4, 5, 5, 5 **답** 5도막

서술형 정복하기   p. 7

1

(쇠고기를 나누어 줄 수 있는 사람 수)
$= 36 \div \frac{3}{4} = (36 \div 3) \times 4 = 48$(명)

따라서 48명에게 쇠고기를 나누어 줄 수 있습니다.

답 48명

평가 기준	나눗셈식을 바르게 세운 경우	3점	합 5점
	나눗셈식의 답을 바르게 구한 경우	2점	

2

🖊 (가로등 사이의 간격 수)

$$=11\frac{1}{4} \div \frac{5}{8} = \frac{45}{4} \div \frac{5}{8} = \frac{\overset{9}{\cancel{45}}}{\cancel{4}_{1}} \times \frac{8}{\cancel{5}_{1}}^{2}$$

$$=18(군데)$$

따라서 필요한 가로등은 $18+1=19$(개)입니다.

답 19개

평가 기준	나눗셈식을 바르게 세운 경우	3점	합 5점
	나눗셈식의 답을 바르게 구한 경우	2점	

3

🖊 (팔 수 있는 보리쌀의 봉지 수)

$$=9\frac{1}{2} \div 2\frac{3}{8} = \frac{19}{2} \div \frac{19}{8}$$

$$=\frac{\cancel{19}}{\cancel{2}_{1}}^{1} \times \frac{\cancel{8}^{4}}{\cancel{19}_{1}} = 4(봉지)$$

따라서 팔 수 있는 보리쌀은 4봉지입니다.

답 4봉지

평가 기준	나눗셈식을 바르게 세운 경우	3점	합 5점
	나눗셈식의 답을 바르게 구한 경우	2점	

1. 분수의 나눗셈 (3)

서술형 완성하기   p. 8

1 27, 20, 3, $1\frac{1}{2}$, $1\frac{1}{2}$ 답 $1\frac{1}{2}$배

2 15, 21, 15, 21, 20, $2\frac{6}{7}$, $2\frac{6}{7}$ 답 $2\frac{6}{7}$배

서술형 정복하기   p. 9

1

🖊 전철역에서 미술관까지 2 km이고 미술관에서 동물원까지 $\frac{1}{8}$ km이므로 전철역에서 미술관까지의 거리는 미술관에서 동물원까지의 거리의 $2 \div \frac{1}{8} = 2 \times 8 = 16$(배)입니다.

답 16배

평가 기준	몇 배인지 구하는 나눗셈식을 바르게 세운 경우	3점	합 5점
	나눗셈식의 답을 바르게 구한 경우	2점	

2

🖊 쿠키를 만드는 데 필요한 밀가루는 $1\frac{3}{5}$ kg이고 설탕은 $\frac{3}{4}$ kg이므로 밀가루의 양은 설탕의 양의 $1\frac{3}{5} \div \frac{3}{4} = \frac{8}{5} \div \frac{3}{4} = \frac{8}{5} \times \frac{4}{3} = 2\frac{2}{15}$(배)입니다.

답 $2\frac{2}{15}$배

평가 기준	몇 배인지 구하는 나눗셈식을 바르게 세운 경우	3점	합 5점
	나눗셈식의 답을 바르게 구한 경우	2점	

3

🖊 청소와 어깨를 주물러 드린 학생 수는 전체의 $\frac{1}{2} + \frac{1}{5} = \frac{5}{10} + \frac{2}{10} = \frac{7}{10}$입니다.

따라서 청소와 어깨를 주물러 드린 학생 수는 공연을 준비한 학생 수의

$$\frac{7}{10} \div \frac{3}{10} = 7 \div 3 = \frac{7}{3} = 2\frac{1}{3}(배)입니다.$$

답 $2\frac{1}{3}$배

평가 기준	청소와 어깨를 주물러 드린 학생 수는 전체의 얼마인지 바르게 구한 경우	2점	합 6점
	청소와 어깨를 주물러 드린 학생 수는 공연을 준비한 학생 수의 몇 배인지 바르게 구한 경우	4점	

1. 분수의 나눗셈 (4)

서술형 완성하기   p. 10

1 3, 4, $\frac{15}{8}$, $1\frac{7}{8}$, $1\frac{7}{8}$ 답 $1\frac{7}{8}$ m

2 14, 7, 14, 7, 1, 1 답 1 m

1

✏️ 마름모의 다른 대각선을 $\square$ m라 하면

$2\frac{4}{5} \times \square \div 2 = 4\frac{1}{5}$입니다.

$\square = 4\frac{1}{5} \times 2 \div 2\frac{4}{5} = \frac{42}{5} \div \frac{14}{5}$

$\qquad = 42 \div 14 = 3$

따라서 마름모의 다른 대각선은 3 m입니다.

답 3 m

평가 기준	마름모의 다른 대각선의 길이를 구하는 식을 바르게 세운 경우	3점	합 6점
	마름모의 다른 대각선의 길이를 바르게 구한 경우	3점	

2

✏️ 사다리꼴의 높이를 $\square$ cm라 하면

$(2+5\frac{3}{5}) \times \square \div 2 = 12\frac{27}{50}$,

$7\frac{3}{5} \times \square \div 2 = 12\frac{27}{50}$입니다.

$\square = 12\frac{27}{50} \times 2 \div 7\frac{3}{5}$

$\quad = \frac{\overset{33}{\cancel{627}}}{\underset{5}{\cancel{25}}} \times \frac{\overset{1}{\cancel{5}}}{\underset{2}{\cancel{38}}} = \frac{33}{10} = 3\frac{3}{10}$

따라서 사다리꼴의 높이는 $3\frac{3}{10}$ cm입니다.

답 $3\frac{3}{10}$ cm

평가 기준	사다리꼴의 높이를 구하는 식을 바르게 세운 경우	3점	합 6점
	사다리꼴의 높이를 바르게 구한 경우	3점	

3

✏️ 삼각형의 넓이는

$8 \times 6\frac{3}{4} \div 2 = 8 \times \frac{27}{4} \times \frac{1}{2} = 27(\text{cm}^2)$

이므로 직사각형의 세로를 $\square$라 하면

$\square \times 12 = 27$,

$\square = 27 \div 12 = \frac{27}{12} = 2\frac{3}{12} = 2\frac{1}{4}$입니다.

따라서 직사각형의 세로는 $2\frac{1}{4}$ cm입니다.

답 $2\frac{1}{4}$ cm

평가 기준	삼각형의 넓이를 알아낸 경우	3점	합 6점
	직사각형의 세로를 알아낸 경우	3점	

1. 분수의 나눗셈 (5)

1 15, 15, 3, 15, 3, 10, 10   답 10병

2 $7\frac{1}{5}$, $7\frac{1}{5}$, 36, 36, 20, 144, $13\frac{1}{11}$, 13, 14

     답 14번

1

✏️ (가방을 만드는 전체 시간)

$= 6 \times 7 = 42(\text{시간})$

(일주일 동안 만들 수 있는 가방 수)

$= 42 \div 2\frac{1}{3} = 42 \div \frac{7}{3}$

$= \overset{6}{\cancel{42}} \times \frac{3}{\underset{1}{\cancel{7}}} = 18(\text{개})$

따라서 일주일 동안 만들 수 있는 가방은 18개입니다.

답 18개

평가 기준	가방을 만드는 전체 시간을 바르게 구한 경우	2점	합 5점
	일주일 동안 만들 수 있는 가방 수를 바르게 구한 경우	3점	

2

✏️ (전체 밀가루의 양)

$$=5\frac{1}{4}\times5=\frac{21}{4}\times5=\frac{105}{4}=26\frac{1}{4}(\text{kg})$$

(밀가루를 담는 봉지 수)

$$=26\frac{1}{4}\div2\frac{5}{8}=\frac{105}{4}\div\frac{21}{8}$$

$$=\frac{\overset{5}{\cancel{105}}}{\underset{1}{\cancel{4}}}\times\frac{\overset{2}{\cancel{8}}}{\underset{1}{\cancel{21}}}=10(\text{봉지})$$

따라서 밀가루는 10봉지에 담을 수 있습니다.

답 10봉지

평가 기준	전체 밀가루의 양을 바르게 구한 경우	2점	합 5점
	밀가루를 담는 봉지 수를 바르게 구한 경우	3점	

3

✏️ (통에 더 부어야 할 우유의 양)

$$=10\frac{1}{2}-3=7\frac{1}{2}(\text{L})$$

(통에 더 부어야 할 우유의 양)
   ÷(우유를 붓는 그릇의 들이)

$$=7\frac{1}{2}\div\frac{3}{5}=\frac{15}{2}\div\frac{3}{5}$$

$$=\frac{\overset{5}{\cancel{15}}}{2}\times\frac{5}{\underset{1}{\cancel{3}}}=\frac{25}{2}=12\frac{1}{2}$$

따라서 통에 우유를 가득 채우려면 $\frac{3}{5}$ L들이 그릇으로 적어도 $12+1=13$(번) 부어야 합니다.

답 13번

평가 기준	통에 더 부어야 할 우유의 양을 바르게 구한 경우	2점	합 6점
	통에 우유를 가득 채우기 위해 그릇으로 부어야 하는 횟수를 바르게 구한 경우	4점	

1. 분수의 나눗셈 (6)

1 4, 2, 2, 3, 4, 2, 2, 3, 14, 11, 14, 11, 56, 1, 23   답 $1\frac{23}{33}$

2 5, 2, 5, 2, 5, 2, $\frac{5}{2}$, $2\frac{1}{2}$ 답 $2\frac{1}{2}$

1

✏️ 숫자 카드로 만들 수 있는 가장 큰 대분수는 $9\frac{3}{5}$ 입니다.

$$\Rightarrow 9\frac{3}{5}\div\frac{6}{7}=\frac{\overset{8}{\cancel{48}}}{5}\times\frac{7}{\underset{1}{\cancel{6}}}=\frac{56}{5}=11\frac{1}{5}$$

답 $11\frac{1}{5}$

평가 기준	만들 수 있는 가장 큰 대분수를 구한 경우	3점	합 5점
	만든 대분수를 $\frac{6}{7}$으로 나눈 몫을 구한 경우	2점	

2

✏️ 숫자 카드로 만들 수 있는 가장 큰 대분수는 $8\frac{2}{5}$이고, 가장 작은 대분수는 $2\frac{5}{8}$입니다.

$$\Rightarrow 8\frac{2}{5}\div2\frac{5}{8}=\frac{42}{5}\div\frac{21}{8}=\frac{\overset{2}{\cancel{42}}}{5}\times\frac{8}{\underset{1}{\cancel{21}}}$$

$$=\frac{16}{5}=3\frac{1}{5}$$

평가 기준	만들 수 있는 가장 큰 대분수와 가장 작은 대분수를 구한 경우	4점	합 6점
	가장 큰 대분수를 가장 작은 대분수로 나눈 몫을 구한 경우	2점	

3

🖋 숫자 카드로 만들 수 있는 가장 큰 진분수는 $\dfrac{8}{9}$ 이고, 가장 작은 진분수는 $\dfrac{3}{9}$ 입니다.

➡ $\dfrac{8}{9} \div \dfrac{3}{9} = 8 \div 3 = \dfrac{8}{3} = 2\dfrac{2}{3}$

평가기준	만들 수 있는 가장 큰 진분수와 가장 작은 진분수를 구한 경우	4점	합6점
	가장 큰 진분수를 가장 작은 진분수로 나눈 몫을 구한 경우	2점	

실전! 서술형   p. 16 ~ 17

1

🖋 [방법 1] $4\dfrac{1}{6} \div \dfrac{5}{12} = \dfrac{25}{6} \div \dfrac{5}{12}$

$\qquad\qquad\qquad = \dfrac{50}{12} \div \dfrac{5}{12}$

$\qquad\qquad\qquad = 50 \div 5 = 10$

[방법 2] $4\dfrac{1}{6} \div \dfrac{5}{12} = \dfrac{25}{6} \div \dfrac{5}{12}$

$\qquad\qquad\qquad = \dfrac{\overset{5}{\cancel{25}}}{\cancel{6}} \times \dfrac{\overset{2}{\cancel{12}}}{\cancel{5}} = 10$

평가기준	알맞은 2가지 방법을 선택하여 바르게 계산한 경우	각3점	합6점

2

🖋 (나누어 줄 수 있는 사람 수)

$= 7 \div 1\dfrac{2}{5} = 7 \div \dfrac{7}{5} = 7 \times \dfrac{5}{7} = 5$(명)

따라서 색 테이프를 5명에게 나누어 줄 수 있습니다.

답 5명

평가기준	나눗셈식을 바르게 세운 경우	3점	합5점
	나눗셈식의 답을 바르게 구한 경우	2점	

3

🖋 (미륵사지 석탑의 높이)÷(불국사 삼층석탑의 높이)

$= 14\dfrac{6}{25} \div 8\dfrac{1}{5} = \dfrac{356}{25} \div \dfrac{41}{5}$

$= \dfrac{356}{\underset{5}{\cancel{25}}} \times \dfrac{\overset{1}{\cancel{5}}}{41} = \dfrac{356}{205} = 1\dfrac{151}{205}$

따라서 미륵사지 석탑의 높이는 불국사 삼층석탑 높이의 $1\dfrac{151}{205}$배입니다.

답 $1\dfrac{151}{205}$배

평가기준	몇 배인지 구하는 나눗셈식을 바르게 세운 경우	3점	합5점
	나눗셈식의 답을 바르게 구한 경우	2점	

4

🖋 (편지 봉투의 가로)

$= 162\dfrac{3}{4} \div 10\dfrac{1}{2} = \dfrac{651}{4} \div \dfrac{21}{2}$

$= \dfrac{\overset{31}{\cancel{651}}}{\underset{2}{\cancel{4}}} \times \dfrac{\overset{1}{\cancel{2}}}{\underset{1}{\cancel{21}}} = \dfrac{31}{2} = 15\dfrac{1}{2}$(cm)

(가로)÷(세로) $= 15\dfrac{1}{2} \div 10\dfrac{1}{2} = \dfrac{31}{2} \div \dfrac{21}{2}$

$\qquad\qquad\qquad\quad = \dfrac{31}{21} = 1\dfrac{10}{21}$

따라서 편지 봉투의 가로는 세로의 $1\dfrac{10}{21}$배입니다.

답 $1\dfrac{10}{21}$배

평가기준	편지 봉투의 가로를 바르게 구한 경우	3점	합6점
	편지 봉투의 가로가 세로의 몇 배인지 바르게 구한 경우	3점	

5

🖋 (꽃밭의 넓이)

$= 6\dfrac{3}{4} \times 6 = \dfrac{27}{\underset{2}{\cancel{4}}} \times \overset{3}{\cancel{6}} = \dfrac{81}{2} = 40\dfrac{1}{2}$(m²)

(물 1 L가 뿌려진 밭의 넓이)

$$= 40\frac{1}{2} \div 4\frac{1}{2} = \frac{81}{2} \div \frac{9}{2} = 81 \div 9 = 9(m^2)$$

따라서 물 1 L가 뿌려진 밭의 넓이는 9 m²입니다.

답 9 m²

평가 기준	꽃밭의 넓이를 바르게 구한 경우	2점	합 5점
	물 1 L가 뿌려진 밭의 넓이를 바르게 구한 경우	3점	

6

숫자 카드로 만들 수 있는 가장 큰 대분수는 $7\frac{4}{5}$이고, 가장 작은 대분수는 $4\frac{5}{7}$입니다.

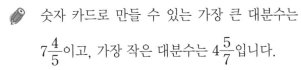
$$\Rightarrow 7\frac{4}{5} \div 4\frac{5}{7} = \frac{39}{5} \div \frac{33}{7} = \frac{\overset{13}{\cancel{39}}}{5} \times \frac{7}{\underset{11}{\cancel{33}}}$$
$$= \frac{91}{55} = 1\frac{36}{55}$$

평가 기준	만들 수 있는 가장 큰 대분수와 가장 작은 대분수를 구한 경우	4점	합 6점
	가장 큰 대분수를 가장 작은 대분수로 나눈 몫을 구한 경우	2점	

2 소수의 나눗셈

2. 소수의 나눗셈 (1)

서술형 완성하기   p. 20

1 336, 28, 336, 28, 336, 28, 336, 28

2 805, 35, 80.5, 35, 80.5, 35, 2.3

서술형 정복하기   p. 21

1

[방법 1] 12.8에서 1.6을 8번 빼면 0이 됩니다.

[방법 2] 분수의 나눗셈으로 바꾸어 계산하면
$$12.8 \div 1.6 = \frac{128}{10} \div \frac{16}{10}$$
$$= 128 \div 16 = 8입니다.$$

[방법 3] 세로로 계산하면 다음과 같습니다.

$$1.6) \overline{) 1\,2.8}$$

평가 기준	12.8÷1.6=8임을 바르게 설명한 경우	각 2점	합 6점

2

$15 \div 2.5 = \frac{150}{10} \div \frac{25}{10}$입니다. 분모가 같은 분수의 나눗셈은 분자끼리의 나눗셈과 같으므로 $\frac{150}{10} \div \frac{25}{10} = 150 \div 25$입니다.

따라서 $15 \div 2.5 = 150 \div 25$입니다.

평가 기준	15÷2.5를 분모가 10인 분수의 나눗셈으로 바르게 나타낸 경우	2점	합 4점
	등호가 성립하는 이유를 바르게 설명한 경우	2점	

3

몫의 소수점을 나누어지는 수의 옮긴 소수점의 위치에 맞추어 찍어야 하는데 처음 소수점의 위치에 맞추어 찍었으므로 틀렸습니다.

답

$$\begin{array}{r} 28 \\ 1.25\overline{)35.00} \\ 250 \\ \hline 1000 \\ 1000 \\ \hline 0 \end{array}$$

평가 기준	잘못 계산한 것을 보고 바르게 계산한 경우	2점	합 4점
	틀린 이유를 바르게 쓴 경우	2점	

2. 소수의 나눗셈 (2)

서술형 완성하기　　　　　　　p. 22

1 1.25, 12, 0.5, 30, 30, 12, 18

답 지혜, 18개

2 4.8, 3.6, 7.2, 2.4, 3.6, 2.4, 1.2

답 ㉯ 수도, 1.2분

서술형 정복하기　　　　　　　p. 23

1

🖊 (지혜가 포장한 선물 수)
＝14.4÷0.6＝24(개)
(가영이가 포장한 선물 수)
＝14.4÷0.8＝18(개)
따라서 지혜와 가영이가 포장한 선물은 모두
24＋18＝42(개)입니다.

답 42개

평가 기준	두 사람이 포장한 선물 수를 각각 바르게 구한 경우	3점	합 5점
	두 사람이 포장한 선물 수의 합을 바르게 구한 경우	2점	

2

🖊 (동민이가 접은 바람개비 수)
＝24÷0.6＝40(개)
(신영이가 접은 바람개비 수)
＝24÷0.75＝32(개)

따라서 두 사람이 접은 바람개비는 모두
40＋32＝72(개)입니다.

답 72개

평가 기준	두 사람이 접은 바람개비 수를 각각 바르게 구한 경우	3점	합 5점
	두 사람이 접은 바람개비 수의 합을 바르게 구한 경우	2점	

3

🖊 (㉮ 건설회사가 도로를 만드는 데 걸리는 날수)
＝64.8÷0.54＝120(일)
(㉯ 건설회사가 도로를 만드는 데 걸리는 날수)
＝64.8÷0.54＝180(일)
따라서 64.8 km의 도로를 만드는 데 ㉯ 건설회사가 180－120＝60(일) 더 걸립니다.

답 ㉯ 건설회사, 60일

평가 기준	두 건설회사가 도로를 만드는 데 걸리는 날수를 각각 바르게 구한 경우	3점	합 5점
	어느 건설회사가 며칠 더 걸리는지 바르게 구한 경우	2점	

2. 소수의 나눗셈 (3)

서술형 완성하기　　　　　　　p. 24

1 3.68, 0.8, 4.6, 4.6, 0.8, 5.75

답 5.75

2 7.92, 6.6, 1.2, 6.6, 1.2, 5.5

답 5.5

서술형 정복하기　　　　　　　p. 25

1

🖊 어떤 수를 □라 하면 잘못 계산한 식이
□×1.25＝60이므로
□×1.25＝60, □＝60÷1.25＝48입니다.
따라서 바르게 계산하면 48÷1.25＝38.4입니다.

답 38.4

평가 기준	어떤 수를 바르게 구한 경우	3점	합
	바르게 계산한 몫을 구한 경우	3점	6점

2

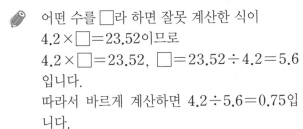 어떤 수를 □라 하면 잘못 계산한 식이
□×0.4=4.56이므로
□×0.4=4.56, □=4.56÷0.4=11.4입
니다.
따라서 바르게 계산하면 11.4÷0.4=28.5
입니다.

답 28.5

평가 기준	어떤 수를 바르게 구한 경우	3점	합
	바르게 계산한 몫을 구한 경우	3점	6점

3

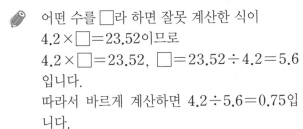 어떤 수를 □라 하면 잘못 계산한 식이
4.2×□=23.52이므로
4.2×□=23.52, □=23.52÷4.2=5.6
입니다.
따라서 바르게 계산하면 4.2÷5.6=0.75입
니다.

답 0.75

평가 기준	어떤 수를 바르게 구한 경우	3점	합
	바르게 계산한 몫을 구한 경우	3점	6점

2. 소수의 나눗셈 (4)

서술형 완성하기   p. 26

1 6, 48, 0.4 / 6, 0.4
  답 6개, 0.4 m
2 30, 810, 2.2 / 30, 2.2, 31
  답 31번

서술형 정복하기   p. 27

1

```
        1 0
64.8)6 8 1.5
     6 4 8 0
     ̄ ̄ ̄ ̄ ̄
       3 3.5
```

따라서 엘리베이터에 10명까지 탈 수 있고,
더 탈 수 있는 무게는 33.5kg입니다.

답 10명, 33.5kg

평가 기준	나눗셈식에서 몫과 남는 양을 바르 게 구한 경우	3점	합
	문제에 알맞은 답을 구한 경우	2점	5점

2

 (주황색 페인트의 양)
=14.95+23.4=38.35(L)
```
          2 1
1.8)3 8.3 5
    3 6
    ̄ ̄ ̄
      2 3
      1 8
      ̄ ̄ ̄
      0.5 5
```
따라서 페인트를 가득 채운 통은 21개이고,
남는 페인트는 0.55 L입니다.

답 21개, 0.55 L

평가 기준	주황색 페인트의 양을 바르게 구한 경우	1점	합
	나눗셈식에서 몫과 남는 양을 바르 게 구한 경우	3점	6점
	문제에 알맞은 답을 구한 경우	2점	

3

```
          1 3
3.5)4 7.8
    3 5
    ̄ ̄ ̄
    1 2 8
    1 0 5
    ̄ ̄ ̄ ̄
        2.3
```

트럭에 물건을 가득 채워서 13번 나르고, 물
건 2.3 t이 남습니다.
따라서 남은 물건도 옮겨야 하므로 트럭으로
모두 14번 날라야 합니다.

답 14번

평가 기준	나눗셈식에서 몫과 남는 양을 바르 게 구한 경우	3점	합
	문제에 알맞은 답을 구한 경우	3점	6점

2. 소수의 나눗셈 (5)

서술형 완성하기   p. 28

1 2.14, 83.32, 2.14, 38.9, 38.9

   답 약 38.9 kg

2 5, 7, 2, 2, 2, 7, 5

   답 5

서술형 정복하기   p. 29

1

🖊 (효근이의 멀리뛰기 기록)

    ÷(영수의 멀리뛰기 기록)

$=2.136÷1.84=1.16\cdots → 1.2$

따라서 효근이의 멀리뛰기 기록은 영수 기록의 약 1.2배입니다.

        답 약 1.2배

평가 기준	나눗셈식에서 몫을 바르게 구한 경우	3점	합 6점
	구한 몫을 반올림하여 약 몇 배인지 바르게 구한 경우	3점	

2

🖊 (소나무의 높이)=10 m 40 cm=10.4 m

(소나무의 높이)÷(전봇대의 높이)

$=10.4÷8.2=1.26\cdots → 1.3$

따라서 소나무의 높이는 전봇대 높이의 약 1.3배입니다.

        답 약 1.3배

평가 기준	소나무의 높이를 m 단위로 바르게 고친 경우	1점	합 6점
	나눗셈식에서 몫을 바르게 구한 경우	3점	
	구한 몫을 반올림하여 약 몇 배인지 바르게 구한 경우	2점	

3

🖊 $2.5÷1.11=2.252252\cdots$이므로 $2.5÷1.11$의 몫에서 소수점 아래는 2, 5, 2의 숫자 3개가 반복됩니다.

소수 열넷째 자리까지 숫자가 3개씩 반복되므로 $14÷3=4\cdots2$에서 소수 열넷째 자리 숫자는 소수 둘째 자리 숫자와 같습니다.

따라서 소수 열넷째 자리 숫자는 5입니다.

        답 5

평가 기준	나눗셈을 계산하여 몫의 소수점 아래 반복되는 숫자를 바르게 구한 경우	3점	합 6점
	숫자가 반복되는 규칙을 찾아 소수 열넷째 자리 숫자를 바르게 구한 경우	3점	

실전! 서술형   p. 30 ~ 31

1

🖊 [방법 1] 17.5에서 3.5를 5번 빼면 0이 됩니다.

[방법 2] 분수의 나눗셈으로 바꾸어 계산하면

$$17.5÷3.5=\frac{175}{10}÷\frac{35}{10}$$

$$=175÷35=5입니다.$$

[방법 3] 세로로 계산하면 다음과 같습니다.

$$3.5\overline{)17.5} \quad \begin{array}{r} 5 \\ \hline 175 \\ \hline 0 \end{array}$$

평가 기준	17.5÷3.5=5임을 바르게 설명한 경우	각 2점	합 6점

2

🖊 (㉮ 기계가 음료수를 만드는 데 걸리는 시간)

$=33÷1.5=22$(분)

(㉯ 기계가 음료수를 만드는 데 걸리는 시간)

$=33÷2.75=12$(분)

따라서 33 L의 음료수를 만드는 데 ㉯ 기계로 만드는 것이 $22-12=10$(분) 더 빠릅니다.

        답 ㉯ 기계, 10분

| 평가 기준 | 두 기계가 음료수를 만드는 데 걸리는 시간을 각각 바르게 구한 경우 | 3점 | 합 5점 |
| | 어느 기계로 만드는 것이 몇 분 더 빠른지 바르게 구한 경우 | 2점 | |

3

✏️ 어떤 수를 □라 하면 잘못 계산한 식이
$85 \times \square = 212.5$이므로
$85 \times \square = 212.5$, $\square = 212.5 \div 85 = 2.5$입니다.
따라서 바르게 계산하면 $85 \div 2.5 = 34$입니다.

답 34

| 평가 기준 | 어떤 수를 바르게 구한 경우 | 3점 | 합 6점 |
| | 바르게 계산한 몫을 구한 경우 | 3점 | |

4

✏️ (코코아를 탈 수 있는 물의 양)
$= 3.5 + 4.1 = 7.6(L)$

$$
\begin{array}{r}
6\,3 \\
0.12\,)\overline{7.6\,0} \\
7\,2 \\
\hline
4\,0 \\
3\,6 \\
\hline
0.0\,4
\end{array}
$$

따라서 코코아는 63잔 탈 수 있고, 남는 물은 0.04 L입니다.

답 63잔, 0.04 L

평가 기준	코코아를 탈 수 있는 물의 양을 바르게 구한 경우	1점	합 6점
	나눗셈식에서 몫과 남는 양을 바르게 구한 경우	3점	
	문제에 알맞은 답을 구한 경우	2점	

5

✏️ $81.75 \div 2.75 = 29.7272\cdots$이므로
$81.75 \div 2.75$의 몫에서 소수점 아래는 7, 2의 숫자 2개가 반복됩니다.
소수 22째 자리까지 숫자가 2개씩 반복되므로 $22 \div 2 = 11$에서 소수 22째 자리 숫자는 소수 둘째 자리 숫자와 같습니다.
따라서 소수 22째 자리 숫자는 2입니다.

답 2

| 평가 기준 | 나눗셈을 계산하여 몫의 소수점 아래 반복되는 숫자를 바르게 구한 경우 | 3점 | 합 6점 |
| | 숫자가 반복되는 규칙을 찾아 소수 22째 자리 숫자를 바르게 구한 경우 | 3점 | |

6

✏️ 12분$=\dfrac{12}{60}$시간$=\dfrac{2}{10}$시간$=0.2$시간이므로
2시간 12분=2.2시간입니다.
(달린 거리)÷(달린 시간)
$=42.195 \div 2.2 = 19.17\cdots \rightarrow 19.2$
따라서 마라톤 선수가 한 시간 동안 달린 평균 거리는 약 19.2 km입니다.

답 약 19.2 km

평가 기준	몇 시간 몇 분을 몇 시간으로 바르게 고친 경우	1점	합 6점
	나눗셈식에서 몫을 바르게 구한 경우	3점	
	구한 몫을 반올림하여 약 몇 km인지 바르게 구한 경우	2점	

정답과 풀이

3 공간과 입체

3. 공간과 입체 (1)

서술형 완성하기   p. 34

1 5, 3, 5, 3, 8 **답** 8개

2 4, 1, 1, 4, 1, 1, 6 **답** 6개

서술형 정복하기   p. 35

1

✎ 각 층별로 나누어 쌓기나무의 수를 알아보면
1층은 4개, 2층은 3개, 3층은 1개입니다.
따라서 필요한 쌓기나무의 수는 모두
4+3+1=8(개)입니다.

답 8개

평가 기준	각 층별로 나누어 쌓기나무의 수를 바르게 구한 경우	2점	합 4점
	필요한 쌓기나무의 수를 바르게 구 한 경우	2점	

2

✎ 각 층별로 나누어 쌓기나무의 수를 알아보면
1층은 6개, 2층은 2개, 3층은 1개입니다.
따라서 필요한 쌓기나무의 수는 모두
6+2+1=9(개)입니다.

답 9개

평가 기준	각 층별로 나누어 쌓기나무의 수를 바르게 구한 경우	2점	합 4점
	필요한 쌓기나무의 수를 바르게 구 한 경우	2점	

3

✎ 각 층별로 나누어 쌓기나무의 수를 알아보면
1층은 7개, 2층은 2개, 3층은 1개입니다.
따라서 필요한 쌓기나무의 수는 모두
7+2+1=10(개)입니다.

답 10개

평가 기준	각 층별로 나누어 쌓기나무의 수를 바르게 구한 경우	2점	합 4점
	필요한 쌓기나무의 수를 바르게 구 한 경우	2점	

3. 공간과 입체 (2)

서술형 완성하기   p. 36

1 3, 3, 9, 18, 9, 9 **답** 9개

2 8, 3, 3, 3, 27, 27, 8, 19 **답** 19개

서술형 정복하기   p. 37

1

✎ 정육면체 모양에 사용된 쌓기나무 수는
4×4×4=64(개)이고 빼낸 후 남은 쌓기나
무 수는 12개이므로 빼낸 쌓기나무는
64-12=52(개)입니다.

답 52개

평가 기준	정육면체 모양에 사용된 쌓기나무 수를 바르게 구한 경우	2점	합 5점
	빼낸 후 남은 모양의 쌓기나무 수를 바르게 구한 경우	2점	
	빼낸 쌓기나무 수를 바르게 구한 경우	1점	

2

✎ 직육면체 모양에 사용된 쌓기나무 수는
4×3×3=36(개)이고 빼낸 후 남은 쌓기나
무 수는 15개이므로 빼낸 쌓기나무는
36-15=21(개)입니다.

답 21개

평가 기준	직육면체 모양에 사용된 쌓기나무 수를 바르게 구한 경우	2점	합 5점
	빼낸 후 남은 모양의 쌓기나무 수를 바르게 구한 경우	2점	
	빼낸 쌓기나무 수를 바르게 구한 경우	1점	

3

🖉 주어진 모양의 쌓기나무 수는 11개이고, 쌓기나무를 가장 적게 사용하여 만들 수 있는 정육면체의 쌓기나무 수는 $4 \times 4 \times 4 = 64$(개)입니다.

따라서 더 필요한 쌓기나무는
$64 - 11 = 53$(개)입니다.

답 53개

평가 기준	주어진 모양의 쌓기나무 수를 바르게 구한 경우	2점	합 5점
	가장 작은 정육면체의 쌓기나무 수를 바르게 구한 경우	2점	
	더 필요한 쌓기나무 수를 바르게 구한 경우	1점	

3. 공간과 입체 (3)

서술형 완성하기   p. 38

1

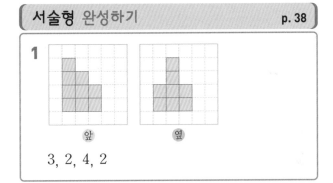

앞   옆

3, 2, 4, 2

서술형 정복하기   p. 39

1

🖉

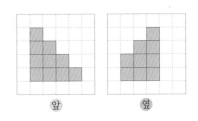

앞   옆

앞에서 본 모양과 옆에서 본 모양은 각 방향에서 각 줄의 가장 높은 층의 모양과 같습니다.

따라서 앞에서 보면 왼쪽부터 4층, 3층, 2층, 1층으로 보이고, 옆에서 보면 왼쪽부터 2층, 3층, 4층으로 보입니다.

평가 기준	앞에서 본 모양과 옆에서 본 모양을 바르게 그린 경우	3점	합 5점
	그린 방법을 바르게 설명한 경우	2점	

2

🖉

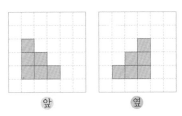

앞   옆

앞에서 본 모양과 옆에서 본 모양은 각 방향에서 각 줄의 가장 높은 층의 모양과 같습니다.

따라서 앞에서 보면 왼쪽부터 3층, 2층, 1층으로 보이고, 옆에서 보면 왼쪽부터 1층, 2층, 3층으로 보입니다.

평가 기준	앞에서 본 모양과 옆에서 본 모양을 바르게 그린 경우	3점	합 5점
	그린 방법을 바르게 설명한 경우	2점	

3. 공간과 입체 (4)

서술형 완성하기   p.40

1 1, 2   **답** 2가지

2 1, 3   **답** 3가지

서술형 정복하기   p. 41

1

🖉 주어진 모양에 연결큐브를 1개 더 붙여서 만들 수 있는 모양은 다음과 같습니다.

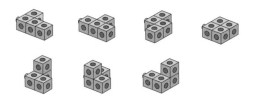

따라서 만들 수 있는 모양은 모두 7가지입니다.

답 7가지

평가 기준	만들 수 있는 모양을 모두 찾은 경우	3점	합 5점
	답을 바르게 구한 경우	2점	

2

주어진 모양에 연결큐브를 1개 더 붙여서 만들 수 있는 모양은 다음과 같습니다.

따라서 만들 수 있는 모양은 모두 9가지입니다.

답 9가지

평가 기준	만들 수 있는 모양을 모두 찾은 경우	3점	합 5점
	답을 바르게 구한 경우	2점	

3

연결큐브 4개로 만들 수 있는 모양은 다음과 같습니다.

따라서 만들 수 있는 모양은 모두 8가지입니다.

답 8가지

평가 기준	만들 수 있는 모양을 모두 찾은 경우	3점	합 5점
	답을 바르게 구한 경우	2점	

실전! 서술형
p. 42 ~ 43

1

각 층별로 나누어 쌓기나무의 수를 알아보면
1층은 5개, 2층은 3개, 3층은 1개입니다.
따라서 필요한 쌓기나무의 수는 모두
5+3+1=9(개)입니다.

답 9개

평가 기준	각 층별로 나누어 쌓기나무의 수를 바르게 구한 경우	2점	합 4점
	필요한 쌓기나무의 수를 바르게 구한 경우	2점	

2

가 모양에 사용된 쌓기나무의 수는
6+3+1=10(개)이고 나 모양에 사용된
쌓기나무의 수는 6+4+1=11(개)입니다.
따라서 쌓기나무가 더 많이 사용된 모양은
나입니다.

답 나

평가 기준	각 모양에 사용된 쌓기나무의 수를 바르게 구한 경우	2점	합 4점
	답을 바르게 구한 경우	2점	

3

정육면체 모양에 사용된 쌓기나무의 수는
3×3×3=27(개)이고 빼낸 후 남은 쌓기나무의 수는 8개이므로 빼낸 쌓기나무는
27-8=19(개)입니다.

답 19개

평가 기준	정육면체 모양에 사용된 쌓기나무의 수를 바르게 구한 경우	2점	합 5점
	빼낸 후 남은 모양의 쌓기나무의 수를 바르게 구한 경우	2점	
	빼낸 쌓기나무의 수를 바르게 구한 경우	1점	

4

주어진 모양의 쌓기나무 수는 9개이고, 쌓기나무를 가장 적게 사용하여 만들 수 있는 정육면체의 쌓기나무 수는 3×3×3=27(개)입니다.
따라서 더 필요한 쌓기나무는
27-9=18(개)입니다.

답 18개

평가 기준	주어진 모양의 쌓기나무 수를 바르게 구한 경우	2점	합 5점
	가장 작은 정육면체의 쌓기나무 수를 바르게 구한 경우	2점	
	더 필요한 쌓기나무 수를 바르게 구한 경우	1점	

5

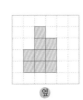

앞에서 본 모양과 옆에서 본 모양은 각 방향에서 각 줄의 가장 높은 층의 모양과 같습니다. 따라서 앞에서 보면 왼쪽부터 2층, 4층, 3층으로 보이고, 옆에서 보면 왼쪽부터 2층, 4층, 3층으로 보입니다.

평가기준	앞에서 본 모양과 옆에서 본 모양을 바르게 그린 경우	3점	합 5점
	그린 방법을 바르게 설명한 경우	2점	

6

주어진 모양에 연결큐브를 1개 더 붙여서 만들 수 있는 모양은 다음과 같습니다.

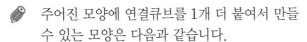

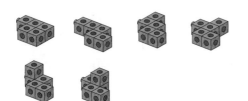

따라서 만들 수 있는 모양은 모두 6가지입니다.

답 6가지

평가기준	만들 수 있는 모양을 모두 찾은 경우	3점	합 5점
	답을 바르게 구한 경우	2점	

4. 비례식과 비례배분 (1)

서술형 완성하기 p. 46

1 2, 2, 2, 7, 6 **답** 7 : 6

2 12, 12, 12, 3, 10 **답** 3 : 10

서술형 정복하기 p. 47

1

예슬이가 마신 주스의 양과 지혜가 마신 주스의 양을 비로 나타내면 $0.25 : 0.2$입니다.

$0.25 : 0.2 \Rightarrow (0.25 \times 100) : (0.2 \times 100)$

$\Rightarrow 25 : 20$

$\Rightarrow (25 \div 5) : (20 \div 5)$

$\Rightarrow 5 : 4$

답 5 : 4

평가기준	예슬이가 마신 주스와 지혜가 마신 주스의 비를 바르게 구한 경우	2점	합 4점
	비를 가장 간단한 자연수의 비로 나타낸 경우	2점	

2

빨간색 테이프의 길이와 파란색 테이프의 길이를 비로 나타내면 $1\frac{3}{5} : 2\frac{1}{4}$입니다.

$1\frac{3}{5} : 2\frac{1}{4} \Rightarrow (\frac{8}{5} \times 20) : (\frac{9}{4} \times 20)$

$\Rightarrow 32 : 45$

답 32 : 45

평가기준	빨간색 테이프와 파란색 테이프의 길이의 비를 바르게 구한 경우	2점	합 4점
	비를 가장 간단한 자연수의 비로 나타낸 경우	2점	

3

(여학생 수)＝(전체 학생 수)－(남학생 수)

＝$185-95=90$(명)이므로

남학생 수와 여학생 수의 비는 $95 : 90$입니다.

$95 : 90 \Rightarrow (95 \div 5) : (90 \div 5) \Rightarrow 19 : 18$

답 $19 : 18$

평가기준	남학생 수와 여학생 수의 비를 바르게 나타낸 경우	2점	합 4점
	비를 가장 간단한 자연수의 비로 나타낸 경우	2점	

4. 비례식과 비례배분 (2)

서술형 완성하기　　　　　　　　p. 48

1 1, 2, 8, 2, 5, 8, 20, 8, 20, 8, 20

답 $2 : 5 = 8 : 20$ 또는 $8 : 20 = 2 : 5$

2 7, 12, 7, 12　답 $4 : 7 = 12 : 21$

서술형 정복하기　　　　　　　　p. 49

1

$4 : 7 \to \dfrac{4}{7}$, $2 : 3 \to \dfrac{2}{3}$,

$16 : 30 \to \dfrac{16}{30} = \dfrac{8}{15}$,

$16 : 24 \to \dfrac{16}{24} = \dfrac{2}{3}$이므로 비율이 같은 비를 찾으면 $2 : 3$과 $16 : 24$입니다.

따라서 비례식으로 나타내면 $2 : 3 = 16 : 24$ 또는 $16 : 24 = 2 : 3$입니다.

답 $2 : 3 = 16 : 24$ 또는 $16 : 24 = 2 : 3$

평가기준	비율이 같은 비를 찾은 경우	2점	합 4점
	비례식으로 바르게 나타낸 경우	2점	

2

$5 : 8 \to \dfrac{5}{8}$, $7 : 9 \to \dfrac{7}{9}$,

$42 : 50 \to \dfrac{42}{50} = \dfrac{21}{25}$, $25 : 40 \to \dfrac{25}{40} = \dfrac{5}{8}$

이므로 비율이 같은 비를 찾으면 $5 : 8$과 $25 : 40$입니다.

따라서 비례식으로 나타내면 $5 : 8 = 25 : 40$ 또는 $25 : 40 = 5 : 8$입니다.

답 $5 : 8 = 25 : 40$ 또는 $25 : 40 = 5 : 8$

평가기준	비율이 같은 비를 찾은 경우	2점	합 4점
	비례식으로 바르게 나타낸 경우	2점	

3

두 비율을 각각 비로 나타내면

$\dfrac{40}{48} \to 40 : 48$이고, $\dfrac{5}{6} \to 5 : 6$입니다.

따라서 두 비율을 보고 비례식으로 나타내면

$\dfrac{40}{48} = \dfrac{5}{6} \to 40 : 48 = 5 : 6$입니다.

답 $40 : 48 = 5 : 6$

평가기준	두 비율을 각각 비로 바르게 나타낸 경우	2점	합 4점
	비례식으로 바르게 나타낸 경우	2점	

4. 비례식과 비례배분 (3)

서술형 완성하기　　　　　　　　p. 50

1 5, 3, 5, 3, 5, 1350000, 270000, 270000

답 270000원

2 6, 6, 600, 24, 24　답 24명

서술형 정복하기　　　　　　　　p. 51

1

45분 동안 달릴 때 자동차가 가는 거리를 □ km라고 하면

$5 : 7 = 45 : □$, $5 \times □ = 7 \times 45$,

$5 \times □ = 315$, $□ = 63$입니다.

따라서 자동차가 45분 동안 달린다면 63 km를 갈 수 있습니다.

답 63 km

평가기준	비례식을 바르게 세운 경우	3점	합 5점
	답을 바르게 구한 경우	2점	

2

1년 동안 350000원을 예금할 때의 이자를 □원이라고 하면

$200000 : 5000 = 350000 : □$,

$200000 \times \square = 5000 \times 350000$,
$200000 \times \square = 1750000000$,
$\square = 8750$입니다.
따라서 1년 동안 350000원을 예금하면 이자는 8750원입니다.

답 8750원

평가 기준	비례식을 바르게 세운 경우	3점	합 5점
	답을 바르게 구한 경우	2점	

3

16 %는 기준량이 100일 때의 비율이므로 비로 나타내면 16 : 100입니다.
오늘 생산한 장난감 수를 □개라 하여 비례식을 세우면
$16 : 100 = 4 : \square$, $16 \times \square = 100 \times 4$,
$16 \times \square = 400$, $\square = 25$입니다.
따라서 오늘 생산한 장난감은 25개입니다.

답 25개

평가 기준	비례식을 바르게 세운 경우	3점	합 5점
	답을 바르게 구한 경우	2점	

4. 비례식과 비례배분 (4)

서술형 완성하기   p. 52

1 5, 5, 5, 25, 25, 25, 1800, 50, 50

                  답 50 cm²

2 3, 5, 3, 5, 3, 5   **답** 3 : 5

서술형 정복하기   p. 53

1

㉮의 한 변의 길이를 3 cm라 하면 ㉯의 한 변의 길이는 2 cm입니다.
(㉮의 넓이)=$3 \times 3 = 9$(cm²),
(㉯의 넓이)=$2 \times 2 = 4$(cm²)
따라서 두 정사각형의 넓이의 비를 가장 간단한 자연수의 비로 나타내면 9 : 4입니다.

답 9 : 4

평가 기준	길이의 비를 이용하여 두 정사각형의 한 변의 길이를 임의로 정하여 넓이를 바르게 구한 경우	3점	합 5점
	넓이의 비를 가장 간단한 자연수의 비로 바르게 나타낸 경우	2점	

2

㉮의 한 변의 길이를 4 cm라 하면 ㉯의 한 변의 길이는 7 cm입니다.
(㉮의 넓이) : (㉯의 넓이)
=$(4 \times 4) : (7 \times 7) = 16 : 49$
㉯의 넓이를 □ cm²라 하면
$16 : 49 = 96 : \square$, $16 \times \square = 49 \times 96$,
$16 \times \square = 4704$, $\square = 294$입니다.
따라서 ㉯의 넓이는 294 cm²입니다.

답 294 cm²

평가 기준	넓이의 비를 바르게 구한 경우	3점	합 6점
	㉯의 넓이를 바르게 구한 경우	3점	

3

직사각형의 세로와 평행사변형의 높이를 □ cm라 하면
(㉮의 넓이)=$9 \times \square$, (㉯의 넓이)=$6 \times \square$
이므로 넓이의 비는
(㉮의 넓이) : (㉯의 넓이)
=$(9 \times \square) : (6 \times \square)$입니다.
따라서 직사각형 ㉮와 평행사변형 ㉯의 넓이의 비를 가장 간단한 자연수의 비로 나타내면
$(9 \times \square) : (6 \times \square) = 3 : 2$입니다.

답 3 : 2

평가 기준	넓이의 비를 바르게 구한 경우	4점	합 6점
	넓이의 비를 가장 간단한 자연수의 비로 바르게 나타낸 경우	2점	

4. 비례식과 비례배분 (5)

서술형 완성하기   p. 54

1 13, 19, 13, 19, 19, 13, 13, 19, 19, 13

2 24, 24, 3, 2, 3, 2, 3, 2, 3, 24, 8, 8

                  답 8번

서술형 정복하기　　　　　　　　p. 55

1

✏️ ④가 35번 도는 동안 ㉮가 □번 돈다고 하면
$8 : 7 = \square : 35$, $7 \times \square = 8 \times 35$,
$7 \times \square = 280$, $\square = 40$입니다.
따라서 ④가 35번 도는 동안 ㉮는 40번 돕니다.

　　　　　　　　　　　답 40번

평가 기준	비례식을 바르게 세운 경우	3점	합
	㉮의 회전수를 바르게 구한 경우	2점	5점

2

✏️ 맞물린 전체 톱니 수는 서로 같으므로
$15 \times$ (㉮의 회전수) $= 22 \times$ (④의 회전수)입니다.
$15 \times$ (㉮의 회전수) $= 22 \times$ (④의 회전수)
➡ (㉮의 회전수) : (④의 회전수) $= 22 : 15$
따라서 톱니 수의 비가 15 : 22인 두 톱니바퀴의 회전수의 비는 22 : 15입니다.

　　　　　　　　　　　답 22 : 15

평가 기준	두 톱니바퀴가 맞물린 전체 톱니 수가 같음을 이용하여 식을 바르게 세운 경우	3점	합
	회전수의 비를 바르게 구한 경우	3점	6점

3

✏️ 톱니 수의 비가 ㉮ : ④ $= 40 : 25$이므로 회전수의 비는 ㉮ : ④ $= 25 : 40$입니다.
회전수의 비를 가장 간단한 자연수의 비로 나타내면 $25 : 40 = 5 : 8$이므로
④의 회전수를 □번이라고 하면
$5 : 8 = 15 : \square$, $5 \times \square = 8 \times 15$,
$5 \times \square = 120$, $\square = 24$입니다.
따라서 ㉮가 15번 도는 동안 ④는 24번 돕니다.

　　　　　　　　　　　답 24번

평가 기준	회전수의 비를 바르게 구한 경우	3점	합
	④의 회전수를 바르게 구한 경우	3점	6점

4. 비례식과 비례배분 (6)

서술형 완성하기　　　　　　　　p. 56

1 $\dfrac{3}{4}$, $\dfrac{2}{5}$, $\dfrac{2}{5}$, $\dfrac{3}{4}$, $\dfrac{2}{5}$, $\dfrac{3}{4}$, $\dfrac{2}{5}$, $\dfrac{3}{4}$, 8, 15

　　　　　　　　　　　답 8 : 15

서술형 정복하기　　　　　　　　p. 57

1

✏️ 겹쳐진 부분의 넓이는 같으므로
(㉮의 넓이) $\times \dfrac{1}{5} =$ (④의 넓이) $\times \dfrac{1}{3}$입니다.
(㉮의 넓이) : (④의 넓이) $= \dfrac{1}{3} : \dfrac{1}{5}$이므로
가장 간단한 자연수의 비로 나타내면
$\dfrac{1}{3} : \dfrac{1}{5} = (\dfrac{1}{3} \times 15) : (\dfrac{1}{5} \times 15) = 5 : 3$입니다.

　　　　　　　　　　　답 5 : 3

평가 기준	비례식으로 바르게 나타낸 경우	3점	합
	가장 간단한 자연수의 비로 나타낸 경우	3점	6점

2

✏️ 겹쳐진 부분의 넓이는 같으므로
(㉮의 넓이) $\times \dfrac{4}{7} =$ (④의 넓이) $\times \dfrac{5}{9}$입니다.
(㉮의 넓이) : (④의 넓이) $= \dfrac{5}{9} : \dfrac{4}{7}$이므로
가장 간단한 자연수의 비로 나타내면
$\dfrac{5}{9} : \dfrac{4}{7} = (\dfrac{5}{9} \times 63) : (\dfrac{4}{7} \times 63) = 35 : 36$입니다.

　　　　　　　　　　　답 35 : 36

평가 기준	비례식으로 바르게 나타낸 경우	3점	합
	가장 간단한 자연수의 비로 나타낸 경우	3점	6점

3

✏️ 겹쳐진 부분의 넓이는 같으므로
(㉮의 넓이) $\times \dfrac{5}{8} =$ (④의 넓이) $\times \dfrac{3}{7}$입니다.

(㉮의 넓이) : (㉯의 넓이)$=\dfrac{3}{7}:\dfrac{5}{8}$이므로

가장 간단한 자연수의 비로 나타내면

$\dfrac{3}{7}:\dfrac{5}{8}=\left(\dfrac{3}{7}\times56\right):\left(\dfrac{5}{8}\times56\right)=24:35$입니다.

답 24 : 35

평가 기준	비례식으로 바르게 나타낸 경우	3점	합 6점
	가장 간단한 자연수의 비로 나타낸 경우	3점	

4. 비례식과 비례배분 (7)

서술형 완성하기　　　　　　　p. 58

1 8, 8, 7, $\dfrac{8}{15}$, 960, 7, 8, 7, $\dfrac{7}{15}$, 840, 960, 840　**답** 영수 : 960 m, 지혜 : 840 m

2 2, 2, 3, $\dfrac{2}{5}$, 56, 3, 2, 3, $\dfrac{3}{5}$, 84, 56, 84

　　　　　　답 한별 : 56 cm, 동민 : 84 cm

서술형 정복하기　　　　　　　p. 59

1

㉮ 모둠과 ㉯ 모둠의 학생 수의 비를 가장 간단한 자연수의 비로 나타내면 4 : 6＝2 : 3입니다.

㉮ 모둠 : $40\times\dfrac{2}{(2+3)}=40\times\dfrac{2}{5}=16$(개)

따라서 ㉮ 모둠에는 도넛을 16개 주어야 합니다.

답 16개

평가 기준	학생 수의 비를 가장 간단한 자연수의 비로 바르게 나타낸 경우	2점	합 5점
	㉮ 모둠에 주어야 하는 도넛의 수를 바르게 구한 경우	3점	

2

(집~공원)과 (집~학교)의 거리의 비를 가장 간단한 자연수의 비로 나타내면 8 : 6＝4 : 3입니다.

(집~학교) : $420\times\dfrac{3}{(4+3)}=420\times\dfrac{3}{7}$

$=180$(m)

따라서 집에서 학교까지의 거리는 180 m입니다.

답 180 m

평가 기준	거리의 비를 가장 간단한 자연수의 비로 바르게 나타낸 경우	2점	합 5점
	집에서 학교까지의 거리를 바르게 구한 경우	3점	

3

나누어 가지려는 금액의 비를 가장 간단한 자연수의 비로 나타내면

(예슬) : (효근)$=1\dfrac{2}{5}:1\dfrac{3}{4}=4:5$입니다.

예슬 : $5400\times\dfrac{3}{(4+5)}=5400\times\dfrac{4}{9}$

$=2400$(원)

따라서 예슬이는 2400원을 가지게 됩니다.

답 2400원

평가 기준	나누어 가지려는 금액의 비를 가장 간단한 자연수의 비로 바르게 나타낸 경우	2점	합 5점
	예슬이가 가지게 되는 금액을 바르게 구한 경우	3점	

정답과 풀이

1

✏️ 검은색 바둑돌 수와 흰색 바둑돌 수의 비는 36 : 30입니다.

36과 30의 최대공약수는 6이므로 가장 간단한 자연수의 비로 나타내면

$36 : 30 \Rightarrow (36 \div 6) : (30 \div 6) \Rightarrow 6 : 5$입니다.

📌 답   6 : 5

평가기준	검은색 바둑돌 수와 흰색 바둑돌 수의 비를 바르게 나타낸 경우	2점	합 4점
	비를 가장 간단한 자연수의 비로 나타낸 경우	2점	

2

✏️ 쌀의 양을 □ g이라고 하면

$7 : 4 = \square : 100$, $4 \times \square = 7 \times 100$,

$4 \times \square = 700$, $\square = 175$입니다.

따라서 밥을 지을 때 보리쌀을 100 g 넣으면 쌀은 175 g 넣어야 합니다.

📌 답   175 g

평가기준	비례식을 바르게 세운 경우	3점	합 5점
	쌀의 무게를 바르게 구한 경우	2점	

3

✏️ 직사각형의 세로와 삼각형의 높이를 □ cm라 하면

(㉮의 넓이)$= 12 \times \square$,

(㉯의 넓이)$= 16 \times \square \div 2 = 8 \times \square$

이므로 넓이의 비는 (㉮의 넓이) : (㉯의 넓이)

$= (12 \times \square) : (8 \times \square)$입니다.

따라서 직사각형 ㉮와 삼각형 ㉯의 넓이의 비를 가장 간단한 자연수의 비로 나타내면

$(12 \times \square) : (8 \times \square) = 3 : 2$입니다.

📌 답   3 : 2

평가기준	넓이의 비를 바르게 구한 경우	4점	합 6점
	넓이의 비를 가장 간단한 자연수의 비로 바르게 나타낸 경우	2점	

4

✏️ 톱니 수의 비가 ㉮ : ㉯ = 28 : 36이므로 회전수의 비는 ㉮ : ㉯ = 36 : 28입니다.

회전수의 비를 가장 간단한 자연수의 비로 나타내면 36 : 28 = 9 : 7이므로

㉯의 회전수를 □번이라고 하면

$9 : 7 = 27 : \square$, $9 \times \square = 7 \times 27$,

$9 \times \square = 189$, $\square = 21$입니다.

따라서 ㉮가 27번 도는 동안 ㉯는 21번 돕니다.

📌 답   21번

평가기준	회전수의 비를 바르게 구한 경우	3점	합 6점
	㉯의 회전수를 바르게 구한 경우	3점	

5

✏️ 겹쳐진 부분의 넓이는 같으므로

(㉮의 넓이)$\times \dfrac{4}{11} =$ (㉯의 넓이)$\times \dfrac{6}{13}$입니다.

(㉮의 넓이) : (㉯의 넓이)$= \dfrac{6}{13} : \dfrac{4}{11}$이므로

가장 간단한 자연수의 비로 나타내면

$\dfrac{6}{13} : \dfrac{4}{11} = \left(\dfrac{6}{13} \times 143 \right) : \left(\dfrac{4}{11} \times 143 \right)$

$= 66 : 52 = (66 \div 2) : (52 \div 2) = 33 : 26$

입니다.

평가기준	비례식으로 바르게 나타낸 경우	3점	합 6점
	가장 간단한 자연수의 비로 나타낸 경우	3점	

6

✏️ 낮과 밤의 시간의 비를 가장 간단한 자연수의 비로 나타내면 $0.7 : \dfrac{1}{2} = 7 : 5$입니다.

밤의 길이 : $24 \times \dfrac{5}{(7+5)} = 24 \times \dfrac{5}{12}$

$= 10$(시간)

따라서 밤의 길이는 10시간입니다.

📌 답   10시간

평가기준	가장 간단한 자연수의 비로 바르게 나타낸 경우	2점	합 5점
	밤의 시간을 바르게 구한 경우	3점	

5 원의 넓이

5. 원의 넓이 (1)

서술형 완성하기　　　　p. 64

1 60, 186, 186, 150, 27900, 279
　답 279 m

2 35, 219.8, 219.8, 100, 21980, 219, 80
　답 219 m 80 cm

서술형 정복하기　　　　p. 65

1

✏ [방법 1] $40.82 \div (2.6 \times 3.14) = 5$
　[방법 2] $40.82 - (2.6 \times 3.14)$
　　　　$-(2.6 \times 3.14) - (2.6 \times 3.14)$
　　　　$-(2.6 \times 3.14) - (2.6 \times 3.14) = 0$
　➡ 5바퀴

　　　　　　　　　답 5바퀴

평가 기준	동전을 굴린 바퀴 수를 바르게 구한 경우	각 3점	합 6점

2

✏ (동전의 원주)$=2.4 \times 3 = 7.2$(cm)
　(동전이 굴러간 거리)$=7.2 \times 200$
　　　　　　　　$=1440$(cm)
　　　　　　　➡ 14 m 40 cm

　　　　　　　답 14 m 40 cm

평가 기준	동전의 원주를 바르게 구한 경우	3점	합 6점
	동전이 굴러간 거리를 바르게 구한 경우	3점	

3

✏ (냄비 뚜껑의 원주)$=7 \times 2 \times 3\frac{1}{7} = 44$(cm)

　(냄비 뚜껑이 굴러간 거리)$=44 \times 10$
　　　　　　　　　　$=440$(cm)

　　　　　　　답 440 cm

평가 기준	냄비 뚜껑의 원주를 바르게 구한 경 우	3점	합 6점
	냄비 뚜껑이 굴러간 거리를 바르게 구한 경우	3점	

5. 원의 넓이 (2)

서술형 완성하기　　　　p. 66

1 10, 10, 40, 31.4, 71.4　답 71.4 cm

2 4, 12, 16, 4, 12, 16, 48
　답 48 cm

서술형 정복하기　　　　p. 67

1

✏ (색칠한 부분의 둘레의 길이)
　＝(정사각형의 한 변의 길이)$\times 2$
　　＋(반지름이 4 cm인 원의 원주)
　$=8 \times 2 + 4 \times 2 \times 3.1$
　$=16 + 24.8$
　$=40.8$(cm)

　　　　　　　답 40.8 cm

평가 기준	색칠한 부분의 둘레의 길이를 구할 수 있는 식을 바르게 나타낸 경우	3점	합 5점
	답을 바르게 구한 경우	2점	

2

✏ (색칠한 부분의 둘레의 길이)
　＝(반지름이 15 cm인 원의 원주)$\div 4 \times 2$
　$=(15 \times 2 \times 3.14) \div 4 \times 2 = 47.1$(cm)

　　　　　　　답 47.1 cm

평가 기준	색칠한 부분의 둘레의 길이를 구할 수 있는 식을 바르게 나타낸 경우	3점	합 5점
	답을 바르게 구한 경우	2점	

3

 (색칠한 부분의 둘레의 길이)
= {(가장 작은 원의 원주)÷2}
　　+ {(두 번째로 작은 원의 원주)÷2}
　　+ {(가장 큰 원의 원주)÷2}
= 9×3÷2+18×3÷2+27×3÷2
= (9+18+27)×3÷2=81(cm)

답 81 cm

평가 기준	색칠한 부분의 둘레의 길이를 구할 수 있는 식을 바르게 나타낸 경우	4점	합 6점
	답을 바르게 구한 경우	2점	

5. 원의 넓이 (3)

서술형 완성하기　　　　　　p. 68

1 24, 4, 4, 3, 192, 148.8, 43.2
　　답 43.2 cm²

2 16, 16, 4, 4, 12, 12, 256, 16, 144,
　　150.72　답 150.72 cm²

서술형 정복하기　　　　　　p. 69

1

 (색칠한 부분의 넓이)
= (반지름이 10 cm인 원의 넓이)
　　− (반지름이 7 cm인 원의 넓이)
= 10×10×3.1−7×7×3.1
= 310−151.9=158.1(cm²)

답 158.1 cm²

평가 기준	색칠한 부분의 넓이를 구할 수 있는 식을 바르게 나타낸 경우	3점	합 5점
	답을 바르게 구한 경우	2점	

2

 (색칠한 부분의 넓이)
= (정사각형의 넓이)
　　− (반지름이 6 cm인 원의 넓이)×4
= 24×24−6×6×3.14×4
= 576−452.16=123.84(cm²)

답 123.84 cm²

평가 기준	색칠한 부분의 넓이를 구할 수 있는 식을 바르게 나타낸 경우	3점	합 5점
	답을 바르게 구한 경우	2점	

3

(색칠한 부분의 넓이)
= (가장 큰 반원의 넓이)
　　− (두 번째로 작은 반원의 넓이)
　　+ (가장 작은 반원의 넓이)
= 8×8×3÷2−6×6×3÷2
　　+2×2×3÷2
= (64−36+4)×3÷2
= 48(cm²)

답 48 cm²

평가 기준	색칠한 부분의 넓이를 구할 수 있는 식을 바르게 나타낸 경우	4점	합 6점
	답을 바르게 구한 경우	2점	

5. 원의 넓이 (4)

서술형 완성하기　　　　　　p. 70

1 20, 20, 200, 20, 20, 400, 200, 400, 300
　　답 약 300 cm²

2 6, 120, 27, 6, 162, 120, 162, 141
　　답 약 141 cm²

1

(마름모의 넓이)$=16 \times 16 \div 2 = 128(\text{cm}^2)$
(정사각형의 넓이)$=16 \times 16 = 256(\text{cm}^2)$
따라서 원의 넓이는
$128 \text{ cm}^2 <$ (원의 넓이) $< 256 \text{ cm}^2$이므로
약 192 cm^2로 어림할 수 있습니다.

답 약 192 cm^2

평가 기준	마름모의 넓이를 바르게 구한 경우	2점	합 6점
	정사각형의 넓이를 바르게 구한 경우	2점	
	원의 넓이를 바르게 어림한 경우	2점	

2

(마름모의 넓이)$=30 \times 30 \div 2 = 450(\text{cm}^2)$
(정사각형의 넓이)$=30 \times 30 = 900(\text{cm}^2)$
따라서 원의 넓이는
$450 \text{ cm}^2 <$ (원의 넓이) $< 900 \text{ cm}^2$이므로
약 675 cm^2로 어림할 수 있습니다.

답 약 675 cm^2

평가 기준	마름모의 넓이를 바르게 구한 경우	2점	합 6점
	정사각형의 넓이를 바르게 구한 경우	2점	
	원의 넓이를 바르게 어림한 경우	2점	

3

(원 안의 정육각형의 넓이)$=40 \times 6$
$\qquad\qquad = 240(\text{cm}^2)$
(원 밖의 정육각형의 넓이)$=54 \times 6$
$\qquad\qquad = 324(\text{cm}^2)$
따라서 원의 넓이는
$240 \text{ cm}^2 <$ (원의 넓이) $< 324 \text{ cm}^2$이므로
약 282 cm^2로 어림할 수 있습니다.

답 약 282 cm^2

평가 기준	원 안의 정육각형 넓이를 바르게 구한 경우	2점	합 6점
	원 밖의 정육각형 넓이를 바르게 구한 경우	2점	
	원의 넓이를 바르게 어림한 경우	2점	

5. 원의 넓이 (5)

1 5, 5, 78.5, 7, 7, 153.86, 78.5, 6, 3, 153.86, 3, 8, 나   **답** 나 접시

1

(꿀맛 호떡의 넓이)$=7 \times 7 \times 3 = 147(\text{cm}^2)$
(단맛 호떡의 넓이)$=9 \times 9 \times 3 = 243(\text{cm}^2)$
➡ (꿀맛 호떡의 1 cm^2당 가격)
$\quad = 800 \div 147 = 5.4 \cdots$(원)
(단맛 호떡의 1 cm^2당 가격)
$\quad = 1000 \div 243 = 4.1 \cdots$(원)
따라서 단맛 호떡을 사는 것이 더 실속 있습니다.

답 단맛 호떡

평가 기준	두 호떡의 넓이를 바르게 구한 경우	3점	합 6점
	두 호떡의 1 cm^2당 가격을 바르게 구한 경우	2점	
	실속 있게 살 수 있는 호떡을 바르게 쓴 경우	1점	

2

(가 접시의 넓이)$=8 \times 8 \times 3 = 192(\text{cm}^2)$
(나 접시의 넓이)$=10 \times 10 \times 3 = 300(\text{cm}^2)$
➡ (가 접시의 1 cm^2당 가격)
$\quad = 2500 \div 192 = 13.0 \cdots$(원)
(나 접시의 1 cm^2당 가격)
$\quad = 4000 \div 300 = 13.3 \cdots$(원)
따라서 가 접시를 사는 것이 더 실속있습니다.

답 가 접시

평가 기준	두 접시의 넓이를 바르게 구한 경우	3점	합 6점
	두 접시의 1 cm^2당 가격을 바르게 구한 경우	2점	
	실속 있게 살 수 있는 접시를 바르게 쓴 경우	1점	

3

✎ (가 빈대떡의 넓이)$=12\times12\times3$
$\qquad\qquad\qquad=432(cm^2)$
(나 빈대떡의 넓이)$=13\times13\times3$
$\qquad\qquad\qquad=507(cm^2)$

➡ (가 빈대떡의 1 cm²당 가격)
$\quad=7000\div432=16.2\cdots(원)$
(나 빈대떡의 1 cm²당 가격)
$\quad=8000\div507=15.7\cdots(원)$
따라서 나 빈대떡을 사는 것이 더 실속있습니다.

답 나 빈대떡

평가기준	두 빈대떡의 넓이를 바르게 구한 경우	3점	합 6점
	두 빈대떡의 1 cm²당 가격을 바르게 구한 경우	2점	
	실속 있게 살 수 있는 빈대떡을 바르게 쓴 경우	1점	

실전! 서술형　　　　　　　p. 74 ~ 75

1

✎ (훌라후프의 원주)$=65\times3.1=201.5(cm)$
(훌라후프가 굴러간 거리)$=201.5\times200$
$\qquad\qquad\qquad\qquad=40300(cm)$
➡ 403 m

답 403 m

평가기준	훌라후프의 원주를 바르게 구한 경우	3점	합 6점
	훌라후프가 굴러간 거리를 바르게 구한 경우	3점	

2

✎ (색칠한 부분의 둘레의 길이)
$=$(반지름이 40 cm인 원의 원주)$\div4$
$\quad+$(반지름이 20 cm인 원의 원주)$\div4$
$\quad+20\times2$
$=(40\times2+20\times2)\times3.14\div4+20\times2$
$=94.2+40$
$=134.2(cm)$

답 134.2 cm

평가기준	색칠한 부분의 둘레의 길이를 구할 수 있는 식을 바르게 나타낸 경우	4점	합 6점
	답을 바르게 구한 경우	2점	

3

✎ (색칠한 부분의 넓이)
$=$(반지름이 11 cm인 원의 넓이)
$\quad-$(반지름이 7 cm인 원의 넓이)
$\quad-$(반지름이 4 cm인 원의 넓이)
$=11\times11\times3.1-7\times7\times3.1$
$\quad-4\times4\times3.1$
$=(121-49-16)\times3.1$
$=173.6(cm^2)$

답 173.6 cm²

평가기준	색칠한 부분의 넓이를 구할 수 있는 식을 바르게 나타낸 경우	4점	합 6점
	답을 바르게 구한 경우	2점	

4

✎ (원 안의 정육각형의 넓이)$=35\times6$
$\qquad\qquad\qquad\qquad=210(cm^2)$
(원 밖의 정육각형의 넓이)$=47\times6$
$\qquad\qquad\qquad\qquad=282(cm^2)$

따라서 원의 넓이는
$210\ cm^2<$(원의 넓이)$<282\ cm^2$이므로
약 246 cm²로 어림할 수 있습니다.

답 약 246 cm²

평가기준	원 안의 정육각형 넓이를 바르게 구한 경우	2점	합 6점
	원 밖의 정육각형 넓이를 바르게 구한 경우	2점	
	원의 넓이를 바르게 어림한 경우	2점	

5

✎ (고구마 피자의 넓이)$=11\times11\times3$
$\qquad\qquad\qquad\quad=363(cm^2)$
(불고기 피자의 넓이)$=15\times15\times3$
$\qquad\qquad\qquad\quad=675(cm^2)$

➡ (고구마 피자의 1 cm²당 가격)
$\quad=16000\div363=44.0\cdots(원)$

(불고기 피자의 1 cm²당 가격)
　＝26000÷675＝38.5⋯(원)
따라서 불고기 피자를 사는 것이 더 실속 있습니다.

　　　　　　　　🅐 불고기 피자

평가기준	두 피자의 넓이를 바르게 구한 경우	3점	합 6점
	두 피자의 1 cm²당 가격을 바르게 구한 경우	2점	
	실속 있게 살 수 있는 피자를 바르게 쓴 경우	1점	

6

✏️ 26000×3＝78000(원)이므로 불고기 피자를 최대한 3판 주문할 수 있습니다.
남은 돈이 95000−78000＝17000(원)이므로 고구마 피자 1판을 더 주문할 수 있습니다.
따라서 가장 많은 양의 피자를 먹으려면 불고기 피자 3판, 고구마 피자 1판을 주문하면 됩니다.

평가기준	가장 많은 양의 피자를 먹을 수 있도록 피자를 바르게 쓴 경우	3점	합 6점
	그 이유를 바르게 설명한 경우	3점	

---

6 원기둥, 원뿔, 구

6. 원기둥, 원뿔, 구 (1)

서술형 완성하기　　　　　　　p. 78

1 2, 합동
2 원, 다각형, 굽은 면, 직사각형

서술형 정복하기　　　　　　　p. 79

1

✏️ (예) 두 밑면이 서로 평행하지만 합동이 아니기 때문에 원기둥이 아닙니다.

평가기준	원기둥이 아닌 이유를 바르게 설명한 경우	4점

2

✏️ (예) 두 밑면이 서로 평행하지 않고 합동이 아니기 때문에 원기둥이 아닙니다.

평가기준	원기둥이 아닌 이유를 바르게 설명한 경우	4점

3

✏️ ㉣ 원기둥의 높이는 두 밑면에 수직인 선분의 길이로 두 밑면 사이의 길이입니다.
원기둥의 두 밑면은 서로 평행하므로 두 밑면에 자를 대고 여러 곳에서 길이를 재어도 항상 같습니다.
따라서 원기둥의 높이는 재는 곳에 상관없이 길이가 항상 같습니다.

　　　　　　　　🅐 ㉣

평가기준	원기둥에 대한 설명 중 잘못된 것을 찾은 경우	2점	합 4점
	잘못된 것을 바르게 고쳐 설명한 경우	2점	

6. 원기둥, 원뿔, 구 (2)

1 수직, 높이

2 ㄱㄹ, ㄴㄷ, 밑면, 가로

1

✎ ⟨예⟩ 두 밑면이 합동이 아니고 옆면의 모양이 직사각형이 아니기 때문에 원기둥의 전개도가 아닙니다.

평가기준	원기둥의 전개도가 아닌 이유를 바르게 설명한 경우	4점

2

✎ ⓒ 밑면의 둘레는 전개도에서 옆면의 가로와 길이가 같습니다.
ⓔ 원기둥의 높이는 전개도에서 옆면의 세로와 길이가 같습니다.

（답） ⓒ, ⓔ

평가기준	잘못된 것을 모두 찾은 경우	2점	합 4점
	잘못된 것을 모두 바르게 고쳐 설명한 경우	2점	

3

✎ 원기둥의 전개도에서 직사각형의 가로는 밑면의 둘레와 같고 직사각형의 세로는 원기둥의 높이와 같습니다.
밑면의 둘레는 $4 \times 2 \times 3.14 = 25.12$(cm)이고, 원기둥의 높이는 12 cm이므로
두 길이의 차는 $25.12 - 12 = 13.12$(cm)입니다.

（답） 13.12 cm

평가기준	직사각형의 가로의 길이와 세로의 길이를 바르게 구한 경우	3점	합 5점
	두 길이의 차를 바르게 구한 경우	2점	

6. 원기둥, 원뿔, 구 (3)

1 175.84, 7, 25.12, 25.12, 8, 8, 4

（답） 4 cm

2 279, 9, 31, 31, 10, 10, 5　（답） 5 cm

1

✎ 원기둥의 높이를 ☐ cm라고 하면
$10 \times 3.14 \times ☐ = 376.8$, $31.4 \times ☐ = 376.8$,
$☐ = 376.8 \div 31.4$, $☐ = 12$입니다.
따라서 원기둥의 높이는 12 cm입니다.

（답） 12 cm

평가기준	원기둥의 높이를 구하는 식을 바르게 세운 경우	2점	합 4점
	원기둥의 높이를 바르게 구한 경우	2점	

2

✎ 원기둥의 높이를 ☐ cm라고 하면
$12 \times 3.1 \times ☐ = 595.2$, $37.2 \times ☐ = 595.2$,
$☐ = 595.2 \div 37.2$, $☐ = 16$입니다.
따라서 원기둥의 높이는 16 cm입니다.

（답） 16 cm

평가기준	원기둥의 높이를 구하는 식을 바르게 세운 경우	2점	합 4점
	원기둥의 높이를 바르게 구한 경우	2점	

3

✎ 밑면의 지름은 $7 \times 2 = 14$(cm)입니다.
원기둥의 높이를 ☐ cm라고 하면
$14 \times 3 \times ☐ = 660$, $42 \times ☐ = 630$,
$☐ = 630 \div 42$, $☐ = 15$입니다.
따라서 원기둥의 높이는 15 cm입니다.

（답） 15 cm

평가기준	원기둥의 높이를 구하는 식을 바르게 세운 경우	2점	합 4점
	원기둥의 높이를 바르게 구한 경우	2점	

6. 원기둥, 원뿔, 구 (4)

서술형 완성하기   p.84

1 1, 꼭짓점, 꼭짓점
2 원, 다각형, 굽은 면, 삼각형

서술형 정복하기   p.85

1

✏️ ㉮ 원뿔이 아닙니다. 뿔 모양이지만 밑면은 원이 아니고 옆면은 굽은 면이 아니기 때문입니다.

평가 기준	원뿔이 아니라고 바르게 답한 경우	2점	합 4점
	원뿔이 아닌 이유를 바르게 설명한 경우	2점	

2

✏️ ㉮ 원뿔이 아닙니다. 밑면이 원이고 옆면이 굽은 면이지만 밑면이 2개이고 뿔 모양이 아니기 때문입니다.

평가 기준	원뿔이 아니라고 바르게 답한 경우	2점	합 4점
	원뿔이 아닌 이유를 바르게 설명한 경우	2점	

3

✏️ ㉣ 원뿔의 꼭짓점과 밑면인 원의 둘레의 한 점을 잇는 선분을 모선이라고 합니다.
또는 원뿔의 꼭짓점에서 밑면에 수직인 선분의 길이를 높이라고 합니다.

평가 기준	원뿔에 대한 설명 중 잘못된 것을 찾은 경우	2점	합 4점
	잘못된 것을 바르게 고쳐 설명한 경우	2점	

6. 원기둥, 원뿔, 구 (5)

서술형 완성하기   p.86

1 8, 12, 12, 8, 4   답 4 cm
2 10, 6, 원기둥, 10, 6, 4   답 원기둥, 4 cm

서술형 정복하기   p.87

1

✏️ 원기둥의 높이는 두 밑면에 수직인 선분의 길이이므로 9 cm이고, 원뿔의 높이는 원뿔의 꼭짓점에서 밑면에 수직인 선분의 길이이므로 8 cm입니다.
따라서 두 입체도형의 높이의 합은
9+8=17(cm)입니다.

답 17 cm

평가 기준	원기둥과 원뿔의 높이를 각각 바르게 구한 경우	2점	합 4점
	답을 바르게 구한 경우	2점	

2

✏️ 원기둥의 높이는 두 밑면에 수직인 선분의 길이이므로 11 cm이고, 원뿔의 높이는 원뿔의 꼭짓점에서 밑면에 수직인 선분의 길이이므로 12 cm입니다.
따라서 두 입체도형의 높이의 차는
12-11=1(cm)입니다.

답 1 cm

평가 기준	원기둥과 원뿔의 높이를 각각 바르게 구한 경우	2점	합 4점
	답을 바르게 구한 경우	2점	

3

✏️ 원기둥의 높이는 두 밑면에 수직인 선분의 길이이므로 18 cm이고, 원뿔의 높이는 원뿔의 꼭짓점에서 밑면에 수직인 선분의 길이이므로 24 cm입니다.
따라서 원뿔의 높이가 24-18=6(cm) 더 높습니다.

답 원뿔, 6 cm

평가 기준	원기둥과 원뿔의 높이를 각각 바르게 구한 경우	2점	합 4점
	답을 바르게 구한 경우	2점	

1

✏ 예 두 밑면이 서로 평행하고 합동이지만 원이 아니므로 원기둥이 아닙니다.

평가기준	원기둥이 아닌 이유를 바르게 설명한 경우	4점

2

✏ 예 두 밑면의 크기가 다르므로 원기둥의 전개도가 아닙니다.

평가기준	원기둥의 전개도가 아닌 이유를 바르게 설명한 경우	4점

3

✏ (옆면의 가로)=$5 \times 2 \times 3.14 = 31.4$(cm)
(옆면의 세로)=14 cm
➡ (옆면의 넓이)=31.4×14
$\qquad\qquad\quad = 439.6$(cm^2)

답 439.6 cm^3

평가기준	옆면의 가로와 세로를 각각 구한 경우	2점	합
	옆면의 넓이를 바르게 구한 경우	2점	4점

4

✏ 밑면의 지름은 $8 \times 2 = 16$(cm)입니다.
원기둥의 높이를 ▢ cm라고 하면
$16 \times 3.14 \times ▢ = 803.84$,
$50.24 \times ▢ = 803.84$,
▢$=803.84 \div 50.24$, ▢$=16$입니다.
따라서 원기둥의 높이는 16 cm입니다.

답 16 cm

평가기준	원기둥의 높이를 구하는 식을 바르게 세운 경우	2점	합
	원기둥의 높이를 바르게 구한 경우	2점	4점

5

✏ 공통점 : 예 • 밑면의 모양은 원입니다.
　　　　　　 • 옆면이 굽은 면으로 되어 있습니다.
　차이점 : 예 • 원기둥은 밑면이 2개이고 원뿔은 밑면이 1개입니다.
　　　　　　 • 원기둥은 꼭짓점이 없고 원뿔은 꼭짓점이 1개 있습니다.

평가기준	공통점을 2가지 바르게 쓴 경우	2점	합
	차이점을 2가지 바르게 쓴 경우	2점	4점

6

✏ 원기둥의 높이는 두 밑면에 수직인 선분의 길이이므로 6 cm이고, 원뿔의 높이는 원뿔의 꼭짓점에서 밑면에 수직인 선분의 길이이므로 5 cm입니다.
따라서 두 입체도형의 높이의 합은
$6+5=11$(cm)입니다.

답 11 cm

평가기준	원기둥과 원뿔의 높이를 각각 바르게 구한 경우	2점	합
	답을 바르게 구한 경우	2점	4점

6 학년이 ✓···· 꼭 알아야 한

수학 서술형